한국어(корейский язык)

동사(глагол) 290

형용사(имя прилагательное) 137

русский язык(러시아어)
переведённое издание(번역판)

< 저자(автор) >

㈜한글2119연구소

• 연구개발전담부서

• ISO 9001 : 품질경영시스템 인증

• ISO 14001 : 환경경영시스템 인증

• 이메일(электронная почта) : gjh0675@naver.com

< 동영상(видео) 자료(материал) >

HANPUK_русский язык(перевод)
https://www.youtube.com/@HANPUK_Russian

HANPUK

제 2024153361 호

연구개발전담부서 인정서

1. 전담부서명: 연구개발전담부서

[소속기업명: (주)한글2119연구소]

2. 소　재　지: 인천광역시 부평구 마장로264번길 33
상가동 제지하층 제2호 (산곡동, 뉴서울아파트)

3. 신고 연월일: 2024년 05월 02일

과학기술정보통신부

「기초연구진흥 및 기술개발지원에 관한 법률」 제14조의 2제1항 및 같은 법 시행령 제27조제1항에 따라 위와 같이 기업의 연구개발전담부서로 인정합니다.

2024년 5월 13일

한국산업기술진흥협회장

G-CERTI *certificate*

hereby certifies that

Hangul 2119 Research Institute Co., Ltd.

Rm. 2, Lower level, Sangga-dong, 33, Majang-ro 264beon-gil, Bupyeong-gu, Incheon, Korea

meets the Standard Requirements & Scope as following

ISO 9001:2015
Quality Management Systems

Creation of Media Content, Publication of Korean Paper and Electronic Textbooks, Production and Release of Albums for Korean Language Education

Certificate No:	**GIS-6934-QC**	**Code**	**: 08, 39**
Initial Date	**: 2024-05-21**	**Issue Date**	**: 2024-05-21**
Expiry Date	**: 2027-05-20**	**Valid Period**	**: 2024-05-21 ~ 2027-05-20**

Signed for and on behalf of GCERTI
President I.K.Cho

MSCB-113

G-CERTI *certificate*

hereby certifies that

Hangul 2119 Research Institute Co., Ltd.

Rm. 2, Lower level, Sangga-dong, 33, Majang-ro 264beon-gil, Bupyeong-gu, Incheon, Korea

meets the Standard Requirements & Scope as following

ISO 14001:2015
Environmental Management Systems

Creation of Media Content, Publication of Korean Paper and Electronic Textbooks, Production and Release of Albums for Korean Language Education

Certificate No: GIS-6934-EC
Initial Date : 2024-05-21
Expiry Date : 2027-05-20

Code : 08, 39
Issue Date : 2024-05-21
Valid Period : 2024-05-21 ~ 2027-05-20

Signed for and on behalf of GCERTI
President I.K.Cho

< 목차(оглавление) >

한국어(корейский язык)

동사(глагол) 290

(1) 들리다 [deullida]

слышаться; доноситься; быть услышанным

Восприниматься ушами (о звуках).

прошедшее время : 들리 + 었어요 → **들렸어요**
настоящее время : 들리 + 어요 → **들려요**
будущее время : 들리 + ㄹ 거예요 → **들릴 거예요**

(2) 메다 [meda]

накинуть на плечо; нести на плечах

Поднимать вещи на плечи или на спину.

прошедшее время : 메 + 었어요 → **멨어요**
настоящее время : 메 + 어요 → **메요**
будущее время : 메 + ㄹ 거예요 → **멜 거예요**

(3) 보이다 [boida]

быть видным; виднеться

Ознакамливаться зрительно (о существовании какого-либо объекта или формы).

прошедшее время : 보이 + 었어요 → **보였어요**
настоящее время : 보이 + 어요 → **보여요**
будущее время : 보이 + ㄹ 거예요 → **보일 거예요**

(4) 귀여워하다 [gwiyeowohada]

ласкать; лелеять; нежить; приголубить

Ласково и заботливо обращаться с человеком младше по возрасту или животным.

прошедшее время : 귀여워하 + 였어요 → **귀여워했어요**
настоящее время : 귀여워하 + 여요 → **귀여워해요**
будущее время : 귀여워하 + ㄹ 거예요 → **귀여워할 거예요**

(5) 기뻐하다 [gippeohada]

радоваться

Находить что-либо очень приятным и доставлющем радость.

прошедшее время : 기뻐하 + 였어요 → 기뻐했어요
настоящее время : 기뻐하 + 여요 → 기뻐해요
будущее время : 기뻐하 + ㄹ 거예요 → 기뻐할 거예요

(6) 놀라다 [nollada]

пугаться

Перепугаться из-за чего-либо неожиданного или удивиться.

прошедшее время : 놀라 + 았어요 → 놀랐어요
настоящее время : 놀라 + 아요 → 놀라요
будущее время : 놀라 + ㄹ 거예요 → 놀랄 거예요

(7) 느끼다 [neukkida]

чувствовать; ощущать; осязать

Воспринимать что-либо носом, кожей и другими органами чувств.

прошедшее время : 느끼 + 었어요 → 느꼈어요
настоящее время : 느끼 + 어요 → 느껴요
будущее время : 느끼 + ㄹ 거예요 → 느낄 거예요

(8) 슬퍼하다 [seulpeohada]

грустить; печалиться

Считать что-либо до слёз печальным, грустным и приносящим душевную боль.

прошедшее время : 슬퍼하 + 였어요 → 슬퍼했어요
настоящее время : 슬퍼하 + 여요 → 슬퍼해요
будущее время : 슬퍼하 + ㄹ 거예요 → 슬퍼할 거예요

(9) 싫어하다 [sireohada]

не нравиться; не подходить; быть не по душе

Быть неугодным, нежелательным и т.п.

прошедшее время : 싫어하 + 였어요 → 싫어했어요
настоящее время : 싫어하 + 여요 → 싫어해요
будущее время : 싫어하 + ㄹ 거예요 → 싫어할 거예요

(10) 안되다 [andoeda]

нет эквивалента

Не получаться, не происходить (о каком-либо деле, явлении и т.п.).

прошедшее время : 안되 + 었어요 → 안됐어요
настоящее время : 안되 + 어요 → 안돼요
будущее время : 안되 + ㄹ 거예요 → 안될 거예요

(11) 좋아하다 [joahada]

любить; нравиться

Испытывать положительные чувства к кому-, чему-либо.

прошедшее время : 좋아하 + 였어요 → 좋아했어요
настоящее время : 좋아하 + 여요 → 좋아해요
будущее время : 좋아하 + ㄹ 거예요 → 좋아할 거예요

(12) 즐거워하다 [jeulgeowohada]

веселиться

Наслаждаться чем-либо.

прошедшее время : 즐거워하 + 였어요 → 즐거워했어요
настоящее время : 즐거워하 + 여요 → 즐거워해요
будущее время : 즐거워하 + ㄹ 거예요 → 즐거워할 거예요

(13) 화나다 [hwanada]

злиться; сердиться

Быть в плохом настроении от того, что что-либо не по душе или не соответствует чему-либо.

прошедшее время : 화나 + 았어요 → 화났어요
настоящее время : 화나 + 아요 → 화나요
будущее время : 화나 + ㄹ 거예요 → 화날 거예요

(14) 화내다 [hwanaeda]

злиться; сердиться

Выражать чувство недовольства по причине плохого настроения.

прошедшее время : 화내 + 었어요 → 화냈어요
настоящее время : 화내 + 어요 → 화내요
будущее время : 화내 + ㄹ 거예요 → 화낼 거예요

(15) 자랑하다 [jaranghada]

гордиться; хвалиться; хвастаться

Рассказывать или испытывать гордость от своего или связанного с собой человека или вещи, являющихся выдающимися или достойными принятия похвалы от других.

прошедшее время : 자랑하 + 였어요 → 자랑했어요
настоящее время : 자랑하 + 여요 → 자랑해요
будущее время : 자랑하 + ㄹ 거예요 → 자랑할 거예요

(16) 조심하다 [josimhada]

остерегаться; предостерегать; быть осторожным; быть осмотрительным

Проявлять осмотрительность в речах или поступках во избежание оплошностей или ошибок.

прошедшее время : 조심하 + 였어요 → 조심했어요
настоящее время : 조심하 + 여요 → 조심해요
будущее время : 조심하 + ㄹ 거예요 → 조심할 거예요

(17) 늙다 [neukda]

стареть

Становиться старым.

прошедшее время : 늙 + 었어요 → 늙었어요
настоящее время : 늙 + 어요 → 늙어요
будущее время : 늙 + 을 거예요 → 늙을 거예요

(18) 못생기다 [motsaenggida]

некрасивый; неприятный; уродливый

Имеющий непривлекательные черты.

прошедшее время : 못생기 + 었어요 → 못생겼어요
настоящее время : 못생기 + 어요 → 못생겨요
будущее время : 못생기 + ㄹ 거예요 → 못생길 거예요

(19) 빼다 [ppaeda]

убрать; уменьшить

Уменьшить вес плоти, тела и т.п.

прошедшее время : 빼 + 었어요 → 뺐어요
настоящее время : 빼 + 어요 → 빼요
будущее время : 빼 + ㄹ 거예요 → 뺄 거예요

(20) 잘생기다 [jalsaenggida]

красивый; симпатичный

Привлекательный, приятный (по отношению к лицу или внешности).

прошедшее время : 잘생기 + 었어요 → 잘생겼어요
настоящее время : 잘생기 + 어요 → 잘생겨요
будущее время : 잘생기 + ㄹ 거예요 → 잘생길 거예요

(21) 찌다 [jjida]

растолстеть; стать толстым; поправиться; набрать в весе

Набрать в весе и поправиться.

прошедшее время : 찌 + 었어요 → 쪘어요
настоящее время : 찌 + 어요 → 쪄요
будущее время : 찌 + ㄹ 거예요 → 찔 거예요

(22) 못하다 [motada]

не мочь; не уметь

Быть не в состоянии или не иметь способностей совершить какое-либо дело на определённом уровне.

прошедшее время : 못하 + 였어요 → 못했어요
настоящее время : 못하 + 여요 → 못해요
будущее время : 못하 + ㄹ 거예요 → 못할 거예요

(23) 잘못하다 [jalmotada]

ошибаться; допускать оплошность

Допускать ошибку или действовать неправильно.

прошедшее время : 잘못하 + 였어요 → 잘못했어요
настоящее время : 잘못하 + 여요 → 잘못해요
будущее время : 잘못하 + ㄹ 거예요 → 잘못할 거예요

(24) 잘하다 [jalhada]

хорошо делать; быть умелым; быть искусным; быть способным

Выполнять что-либо с умением или иметь талант к чему-либо.

прошедшее время : 잘하 + 였어요 → 잘했어요
настоящее время : 잘하 + 여요 → 잘해요
будущее время : 잘하 + ㄹ 거예요 → 잘할 거예요

(25) 가다 [gada]

ходить; уходить; идти

Передвигаться с одного места на другое.

прошедшее время : 가 + 았어요 → 갔어요
настоящее время : 가 + 아요 → 가요
будущее время : 가 + ㄹ 거예요 → 갈 거예요

(26) 가리키다 [garikida]

указывать; показывать

Показывать или обращать внимание другого лица на что-либо, указывая пальцем или другим предметом

прошедшее время : 가리키 + 었어요 → 가리켰어요
настоящее время : 가리키 + 어요 → 가리켜요
будущее время : 가리키 + ㄹ 거예요 → 가리킬 거예요

(27) 감다 [gamda]

мыть

Обмывать голову или тело водой.

прошедшее время : 감 + 았어요 → 감았어요
настоящее время : 감 + 아요 → 감아요
будущее время : 감 + 을 거예요 → 감을 거예요

(28) 걷다 [geotda]

идти пешком; шагать

Двигаться и переходить в другое место, по очереди передвигая ноги по полу.

прошедшее время : 걷 + 었어요 → 걸었어요
настоящее время : 걷 + 어요 → 걸어요
будущее время : 걷 + 을 거예요 → 걸을 거예요

(29) 걸어가다 [georeogada]

идти; ходить пешком

Делая шаги, перемещаться, двигаться по направлению к определённому месту. Передвигаться на собственных ногах.

прошедшее время : 걸어가 + 았어요 → 걸어갔어요
настоящее время : 걸어가 + 아요 → 걸어가요
будущее время : 걸어가 + ㄹ 거예요 → 걸어갈 거예요

(30) 걸어오다 [georeooda]

прийти пешком; приходить пешком

Идти, передвигаясь к направленной цели.

прошедшее время : 걸어오 + 았어요 → 걸어왔어요
настоящее время : 걸어오 + 아요 → 걸어와요
будущее время : 걸어오 + ㄹ 거예요 → 걸어올 거예요

(31) 꺼내다 [kkeonaeda]

извлекать; вынимать; вытаскивать

Перемещать вещь изнутри чего-либо наружу.

прошедшее время : 꺼내 + 었어요 → 꺼냈어요
настоящее время : 꺼내 + 어요 → 꺼내요
будущее время : 꺼내 + ㄹ 거예요 → 꺼낼 거예요

(32) 나오다 [naoda]

выходить

Идти изнутри наружу.

прошедшее время : 나오 + 았어요 → 나왔어요
настоящее время : 나오 + 아요 → 나와요
будущее время : 나오 + ㄹ 거예요 → 나올 거예요

(33) 내려가다 [naeryeogada]

спускаться

Перемещаться сверху вниз.

прошедшее время : 내려가 + 았어요 → 내려갔어요
настоящее время : 내려가 + 아요 → 내려가요
будущее время : 내려가 + ㄹ 거예요 → 내려갈 거예요

(34) 내려오다 [naeryeooda]

спускаться; сходить

Спускаться с высокого места на низкое или опускаться сверху вниз.

прошедшее время : 내려오 + 았어요 → 내려왔어요
настоящее время : 내려오 + 아요 → 내려와요
будущее время : 내려오 + ㄹ 거예요 → 내려올 거예요

(35) 넘어지다 [neomeojida]

падать; валиться

Наклониться в одну сторону и упасть, потеряв равновесие (о стоявшем человеке или предмете).

прошедшее время : 넘어지 + 었어요 → 넘어졌어요
настоящее время : 넘어지 + 어요 → 넘어져요
будущее время : 넘어지 + ㄹ 거예요 → 넘어질 거예요

(36) 넣다 [neota]

вкладывать, вложить

Помещать внутрь какого-либо пространства.

прошедшее время : 넣 + 었어요 → 넣었어요
настоящее время : 넣 + 어요 → 넣어요
будущее время : 넣 + 을 거예요 → 넣을 거예요

(37) 놓다 [nota]

выпускать

Отпускать из рук какой-либо предмет, разжав или расслабив руку.

прошедшее время : 놓 + 았어요 → **놓았어요**
настоящее время : 놓 + 아요 → **놓아요**
будущее время : 놓 + 을 거예요 → **놓을 거예요**

(38) 누르다 [nureuda]

нажать; прижать

С силой надавить на какой-либо предмет полностью или на какую-либо часть сверху вниз.

прошедшее время : 누르 + 었어요 → **눌렀어요**
настоящее время : 누르 + 어요 → **눌러요**
будущее время : 누르 + ㄹ 거예요 → **누를 거예요**

(39) 달리다 [dallida]

бежать; скакать

Быстро передвигаться бегом.

прошедшее время : 달리 + 었어요 → **달렸어요**
настоящее время : 달리 + 어요 → **달려요**
будущее время : 달리 + ㄹ 거예요 → **달릴 거예요**

(40) 던지다 [deonjida]

бросать; выбрасывать; забрасывать; кидать; метать

Делая движение рукой, кидать в воздух вещь, которую держал в руке.

прошедшее время : 던지 + 었어요 → **던졌어요**
настоящее время : 던지 + 어요 → **던져요**
будущее время : 던지 + ㄹ 거예요 → **던질 거예요**

(41) 돌리다 [dollida]

крутить; кружить

Заставлять что-либо двигаться по кругу.

прошедшее время : 돌리 + 었어요 → 돌렸어요
настоящее время : 돌리 + 어요 → 돌려요
будущее время : 돌리 + ㄹ 거예요 → 돌릴 거예요

(42) 듣다 [deutda]

слышать; слушать

Распознавать звуки ушами.

прошедшее время : 듣 + 었어요 → 들었어요
настоящее время : 듣 + 어요 → 들어요
будущее время : 듣 + 을 거예요 → 들을 거예요

(43) 들어가다 [deureogada]

входить

Заходить снаружи вовнутрь.

прошедшее время : 들어가 + 았어요 → 들어갔어요
настоящее время : 들어가 + 아요 → 들어가요
будущее время : 들어가 + ㄹ 거예요 → 들어갈 거예요

(44) 들어오다 [deureooda]

входить; заходить; проникать; приходить

Перемещаться извне вовнутрь.

прошедшее время : 들어오 + 았어요 → 들어왔어요
настоящее время : 들어오 + 아요 → 들어와요
будущее время : 들어오 + ㄹ 거예요 → 들어올 거예요

(45) 뛰다 [ttwida]

бежать; бегать; быстро перемещаться; мчаться; нестись

Быстро идти вперёд, энергично передвигая ноги.

прошедшее время : 뛰 + 었어요 → 뛰었어요
настоящее время : 뛰 + 어요 → 뛰어요
будущее время : 뛰 + ㄹ 거예요 → 뛸 거예요

(46) 뛰어가다 [ttwieogada]

бежать

Торопливо идти куда-либо.

прошедшее время : 뛰어가 + 았어요 → 뛰어갔어요
настоящее время : 뛰어가 + 아요 → 뛰어가요
будущее время : 뛰어가 + ㄹ 거예요 → 뛰어갈 거예요

(47) 뜨다 [tteuda]

открыть; раскрыть

Открывать глаза.

прошедшее время : 뜨 + 었어요 → 떴어요
настоящее время : 뜨 + 어요 → 떠요
будущее время : 뜨 + ㄹ 거예요 → 뜰 거예요

(48) 만지다 [manjida]

щупать; ощупывать; трогать; прикасаться; притрагиваться; касаться; осязать

Двигать рукой, притронувшись к какому-либо месту.

прошедшее время : 만지 + 었어요 → 만졌어요
настоящее время : 만지 + 어요 → 만져요
будущее время : 만지 + ㄹ 거예요 → 만질 거예요

(49) 미끄러지다 [mikkeureojida]

скользить; подскользнуться

Падать на гладкой поверхности, потеряв устойчивость.

прошедшее время : 미끄러지 + 었어요 → 미끄러졌어요
настоящее время : 미끄러지 + 어요 → 미끄러져요
будущее время : 미끄러지 + ㄹ 거예요 → 미끄러질 거예요

(50) 밀다 [milda]

толкать

Заставляя двигаться что-либо в каком-либо направлении, подталкивать, пихать со стороны, противоположной желаемому направлению.

прошедшее время : 밀 + 었어요 → 밀었어요
настоящее время : 밀 + 어요 → 밀어요
будущее время : 밀 + ㄹ 거예요 → 밀 거예요

(51) 바라보다 [baraboda]

Взирать

смотреть в прямом направлении.

прошедшее время : 바라보 + 았어요 → 바라봤어요
настоящее время : 바라보 + 아요 → 바라봐요
будущее время : 바라보 + ㄹ 거예요 → 바라볼 거예요

(52) 보다 [boda]

смотреть; осматривать; видеть

Направить взгляд, чтобы узнать о существовании или внешнем виде объекта.

прошедшее время : 보 + 았어요 → 봤어요
настоящее время : 보 + 아요 → 봐요
будущее время : 보 + ㄹ 거예요 → 볼 거예요

(53) 서다 [seoda]

вставать; стоять

Выпрямлять тело, уперевшись ногами в пол (о человеке или животном).

прошедшее время : 서 + 었어요 → 섰어요
настоящее время : 서 + 어요 → 서요
будущее время : 서 + ㄹ 거예요 → 설 거예요

(54) 쉬다 [swida]

отдыхать

Привести тело в удобное положение для того, чтобы избавиться от усталости.

прошедшее время : 쉬 + 었어요 → 쉬었어요
настоящее время : 쉬 + 어요 → 쉬어요
будущее время : 쉬 + ㄹ 거예요 → 쉴 거예요

(55) 안다 [anda]

обнимать; прижимать

Обхватывать кого-либо к груди обеими руками или заключать в объятия.

прошедшее время : 안 + 았어요 → 안았어요
настоящее время : 안 + 아요 → 안아요
будущее время : 안 + 을 거예요 → 안을 거예요

(56) 앉다 [anda]

сидеть; садиться; присесть

Сесть на пол или на какой-либо предмет, выпрямив верхнюю часть тела и переместив центр тяжести на нижнюю часть тела, в частности таз.

прошедшее время : 앉 + 았어요 → 앉았어요
настоящее время : 앉 + 아요 → 앉아요
будущее время : 앉 + 을 거예요 → 앉을 거예요

(57) 오다 [oda]

приходить; приезжать

Передвигаться с одного места в другое.

прошедшее время : 오 + 았어요 → **왔어요**
настоящее время : 오 + 아요 → **와요**
будущее время : 오 + ㄹ 거예요 → **올 거예요**

(58) 올라가다 [ollagada]

подниматься; взбираться

Идти снизу вверх, от низкого места к высокому.

прошедшее время : 올라가 + 았어요 → **올라갔어요**
настоящее время : 올라가 + 아요 → **올라가요**
будущее время : 올라가 + ㄹ 거예요 → **올라갈 거예요**

(59) 올라오다 [ollaoda]

Подниматься

перемещаться, передвигаться вверх.

прошедшее время : 올라오 + 았어요 → **올라왔어요**
настоящее время : 올라오 + 아요 → **올라와요**
будущее время : 올라오 + ㄹ 거예요 → **올라올 거예요**

(60) 울다 [ulda]

плакать

Проливать слёзы от трудно сдерживаемой печали, боли или слишком большой радости. А также издавать плач, проливая слёзы.

прошедшее время : 울 + 었어요 → **울었어요**
настоящее время : 울 + 어요 → **울어요**
будущее время : 울 + ㄹ 거예요 → **울 거예요**

(61) 움직이다 [umjigida]

двигать; шевелить; двигаться; шевелиться

Меняться (о расположении или позиции). Или менять расположение или позицию.

прошедшее время : 움직이 + 었어요 → **움직였어요**
настоящее время : 움직이 + 어요 → **움직여요**
будущее время : 움직이 + ㄹ 거예요 → **움직일 거예요**

(62) 웃다 [utda]

смеяться

Расправлять лицо или издавать звуки, когда весело или удовлетворён чем-либо или когда смешно.

прошедшее время : 웃 + 었어요 → **웃었어요**
настоящее время : 웃 + 어요 → **웃어요**
будущее время : 웃 + 을 거예요 → **웃을 거예요**

(63) 일어나다 [ireonada]

вставать

Садиться с лежачего положения или вставать с сидячего положения.

прошедшее время : 일어나 + 았어요 → **일어났어요**
настоящее время : 일어나 + 아요 → **일어나요**
будущее время : 일어나 + ㄹ 거예요 → **일어날 거예요**

(64) 일어서다 [ireoseoda]

встать; подниматься

Принять стоячее положение, подняться на ноги.

прошедшее время : 일어서 + 었어요 → **일어섰어요**
настоящее время : 일어서 + 어요 → **일어서요**
будущее время : 일어서 + ㄹ 거예요 → **일어설 거예요**

(65) 잡다 [japda]

держать (в руках)

Схватить рукой что-либо и не отпускать.

прошедшее время : 잡 + 았어요 → 잡았어요
настоящее время : 잡 + 아요 → 잡아요
будущее время : 잡 + 을 거예요 → 잡을 거예요

(66) 접다 [jeopda]

складывать

Сгибать ткань, бумагу и т.п.

прошедшее время : 접 + 었어요 → 접었어요
настоящее время : 접 + 어요 → 접어요
будущее время : 접 + 을 거예요 → 접을 거예요

(67) 지나가다 [jinagada]

проходить; проезжать

Проходить через какое-либо место.

прошедшее время : 지나가 + 았어요 → 지나갔어요
настоящее время : 지나가 + 아요 → 지나가요
будущее время : 지나가 + ㄹ 거예요 → 지나갈 거예요

(68) 지르다 [jireuda]

кричать; выкрикивать; вопить; громко петь

Говорить громким голосом.

прошедшее время : 지르 + 었어요 → 질렀어요
настоящее время : 지르 + 어요 → 질러요
будущее время : 지르 + ㄹ 거예요 → 지를 거예요

(69) 차다 [chada]

ударять ногой; высоко подбрасывать

С силой ударять или подбрасывать кверху что-либо ногой.

прошедшее время : 차 + 았어요 → 찼어요
настоящее время : 차 + 아요 → 차요
будущее время : 차 + ㄹ 거예요 → 찰 거예요

(70) 쳐다보다 [cheodaboda]

смотреть

Направлять взгляд снизу вверх.

прошедшее время : 쳐다보 + 았어요 → 쳐다봤어요
настоящее время : 쳐다보 + 아요 → 쳐다봐요
будущее время : 쳐다보 + ㄹ 거예요 → 쳐다볼 거예요

(71) 치다 [chida]

ударить; стукнуть

Нанести удар рукой или каким-либо предметом по чему-нибудь.

прошедшее время : 치 + 었어요 → 쳤어요
настоящее время : 치 + 어요 → 쳐요
будущее время : 치 + ㄹ 거예요 → 칠 거예요

(72) 흔들다 [heundeulda]

качать; трясти

Постоянно заставлять что-либо двигаться слева-направо или вперёд-назад.

прошедшее время : 흔들 + 었어요 → 흔들었어요
настоящее время : 흔들 + 어요 → 흔들어요
будущее время : 흔들 + ㄹ 거예요 → 흔들 거예요

(73) 기억나다 [gieongnada]

вспомнить; припомнить

Облик, факт, знания, опыт и т.п., которые были известны ранее, всплывают в голове или в глубине души.

прошедшее время : 기억나 + 았어요 → 기억났어요
настоящее время : 기억나 + 아요 → 기억나요
будущее время : 기억나 + ㄹ 거예요 → 기억날 거예요

(74) 모르다 [moreuda]

не знать; не понимать

Не знать или не понимать людей, предметы, факты и т.п.

прошедшее время : 모르 + 았어요 → 몰랐어요
настоящее время : 모르 + 아요 → 몰라요
будущее время : 모르 + ㄹ 거예요 → 모를 거예요

(75) 믿다 [mitda]

верить

Думать о том, что что-то является правдой или фактом.

прошедшее время : 믿 + 었어요 → 믿었어요
настоящее время : 믿 + 어요 → 믿어요
будущее время : 믿 + 을 거예요 → 믿을 거예요

(76) 바라다 [barada]

надеяться; ожидать

Желать осуществления планов и надежд.

прошедшее время : 바라 + 았어요 → 바랐어요
настоящее время : 바라 + 아요 → 바라요
будущее время : 바라 + ㄹ 거예요 → 바랄 거예요

(77) 보이다 [boida]

видеть; увидеть; распознать

Узнать при помощи зрения о существовании чего-либо или узнать о форме чего-либо.

прошедшее время : 보이 + 었어요 → **보였어요**
настоящее время : 보이 + 어요 → **보여요**
будущее время : 보이 + ㄹ 거예요 → **보일 거예요**

(78) 생각나다 [saenggangnada]

приходить в голову

Всплывать в голове (о новых мыслях).

прошедшее время : 생각나 + 았어요 → **생각났어요**
настоящее время : 생각나 + 아요 → **생각나요**
будущее время : 생각나 + ㄹ 거예요 → **생각날 거예요**

(79) 알다 [alda]

знать

Владеть информацией или знаниями о предметах или ситуации через обучение, опыт, размышление и т.п.

прошедшее время : 알 + 았어요 → **알았어요**
настоящее время : 알 + 아요 → **알아요**
будущее время : 알 + ㄹ 거예요 → **알 거예요**

(80) 알리다 [allida]

давать знать; ставить в известность; уведомлять; сообщать; извещать

Заставить осознать или понять то, что было ранее неизвестно или забыто.

прошедшее время : 알리 + 었어요 → **알렸어요**
настоящее время : 알리 + 어요 → **알려요**
будущее время : 알리 + ㄹ 거예요 → **알릴 거예요**

(81) 외우다 [oeuda]

запоминать; заучивать; зазубривать

Помнить наизусть слова или текст.

прошедшее время : 외우 + 었어요 → 외웠어요
настоящее время : 외우 + 어요 → 외워요
будущее время : 외우 + ㄹ 거예요 → 외울 거예요

(82) 원하다 [wonhada]

желать что-либо; хотеть что-либо

Иметь желание, намерение делать что-либо.

прошедшее время : 원하 + 였어요 → 원했어요
настоящее время : 원하 + 여요 → 원해요
будущее время : 원하 + ㄹ 거예요 → 원할 거예요

(83) 잊다 [itda]

забывать

Не помнить что-либо, что когда-то знал или помнил.

прошедшее время : 잊 + 었어요 → 잊었어요
настоящее время : 잊 + 어요 → 잊어요
будущее время : 잊 + 을 거예요 → 잊을 거예요

(84) 잊어버리다 [ijeobeorida]

забывать

Не помнить полностью или частично что-либо ранее известное.

прошедшее время : 잊어버리 + 었어요 → 잊어버렸어요
настоящее время : 잊어버리 + 어요 → 잊어버려요
будущее время : 잊어버리 + ㄹ 거예요 → 잊어버릴 거예요

(85) 기르다 [gireuda]

выращивать; растить; откармливать

Уходом, кормлением обеспечивать рост какого-либо животного.

прошедшее время : 기르 + 었어요 → 길렀어요
настоящее время : 기르 + 어요 → 길러요
будущее время : 기르 + ㄹ 거예요 → 기를 거예요

(86) 살다 [salda]

жить; существовать

Поддерживать жизнь или быть живым.

прошедшее время : 살 + 았어요 → 살았어요
настоящее время : 살 + 아요 → 살아요
будущее время : 살 + ㄹ 거예요 → 살 거예요

(87) 죽다 [jukda]

умереть; погибнуть; скончаться

Перестать жить (о живом организме).

прошедшее время : 죽 + 었어요 → 죽었어요
настоящее время : 죽 + 어요 → 죽어요
будущее время : 죽 + 을 거예요 → 죽을 거예요

(88) 지내다 [jinaeda]

жить

Существовать или жить на каком-либо уровне или в каком-либо состоянии.

прошедшее время : 지내 + 었어요 → 지냈어요
настоящее время : 지내 + 어요 → 지내요
будущее время : 지내 + ㄹ 거예요 → 지낼 거예요

(89) 태어나다 [taeeonada]

родиться

Сформировавшись, появиться на свет из утробы матери (о человеке, животном и т.п.).

прошедшее время : 태어나 + 았어요 → **태어났어요**
настоящее время : 태어나 + 아요 → **태어나요**
будущее время : 태어나 + ㄹ 거예요 → **태어날 거예요**

(90) 감다 [gamda]

закрывать (глаза)

Смыкать веки.

прошедшее время : 감 + 았어요 → **감았어요**
настоящее время : 감 + 아요 → **감아요**
будущее время : 감 + 을 거예요 → **감을 거예요**

(91) 깨다 [kkaeda]

проснуться; пробудиться; пробуждаться

Приходить в себя, избавившись от сонного состояния. Или подводить к этому.

прошедшее время : 깨 + 었어요 → **깼어요**
настоящее время : 깨 + 어요 → **깨요**
будущее время : 깨 + ㄹ 거예요 → **깰 거예요**

(92) 꾸다 [kkuda]

видеть сон; видеть во сне

Видеть, слышать и чувствовать во сне, словно наяву.

прошедшее время : 꾸 + 었어요 → **꾸었어요**
настоящее время : 꾸 + 어요 → **꾸어요**
будущее время : 꾸 + ㄹ 거예요 → **꿀 거예요**

(93) 눕다 [nupda]

ложиться; лежать

Принять лежачее положение, касаясь поверхности спиной, животом или боком (о человеке, животном и т.п.).

прошедшее время : 눕 + 었어요 → 누웠어요
настоящее время : 눕 + 어요 → 누워요
будущее время : 눕 + ㄹ 거예요 → 누울 거예요

(94) 다녀오다 [danyeooda]

сходить; съездить

Пойти, поехать куда-либо и вернуться.

прошедшее время : 다녀오 + 았어요 → 다녀왔어요
настоящее время : 다녀오 + 아요 → 다녀와요
будущее время : 다녀오 + ㄹ 거예요 → 다녀올 거예요

(95) 다니다 [danida]

ходить; ездить; курсировать; посещать

Постоянно приходить и уходить из какого-либо места.

прошедшее время : 다니 + 었어요 → 다녔어요
настоящее время : 다니 + 어요 → 다녀요
будущее время : 다니 + ㄹ 거예요 → 다닐 거예요

(96) 닦다 [dakda]

мыть; чистить

Тереть чтобы избавиться от грязи.

прошедшее время : 닦 + 았어요 → 닦았어요
настоящее время : 닦 + 아요 → 닦아요
будущее время : 닦 + 을 거예요 → 닦을 거예요

(97) 씻다 [ssitda]

мыть; стирать; вытирать; смывать начисто

Удалять и очищать от грязи или пятен.

прошедшее время : 씻 + 었어요 → 씻었어요
настоящее время : 씻 + 어요 → 씻어요
будущее время : 씻 + 을 거예요 → 씻을 거예요

(98) 일어나다 [ireonada]

просыпаться; вставать

Просыпаться после сна.

прошедшее время : 일어나 + 았어요 → 일어났어요
настоящее время : 일어나 + 아요 → 일어나요
будущее время : 일어나 + ㄹ 거예요 → 일어날 거예요

(99) 자다 [jada]

спать

Находиться в состоянии отдыха в течение некоторого времени с закрытыми глазами и остановкой деятельности тела и разума.

прошедшее время : 자 + 았어요 → 잤어요
настоящее время : 자 + 아요 → 자요
будущее время : 자 + ㄹ 거예요 → 잘 거예요

(100) 잠자다 [jamjada]

спать; отдыхать; дремать; засыпать

Находиться в состоянии сна, покоя (о душе и теле).

прошедшее время : 잠자 + 았어요 → 잠잤어요
настоящее время : 잠자 + 아요 → 잠자요
будущее время : 잠자 + ㄹ 거예요 → 잠잘 거예요

(101) 주무시다 [jumusida]

спать; ночевать

(вежл.) Спать.

прошедшее время : 주무시 + 었어요 → 주무셨어요
настоящее время : 주무시 + 어요 → 주무셔요
будущее время : 주무시 + ㄹ 거예요 → 주무실 거예요

(102) 구경하다 [gugyeonghada]

осматривать; знакомиться

Смотреть что-либо, проявляя любопытство или интерес.

прошедшее время : 구경하 + 였어요 → 구경했어요
настоящее время : 구경하 + 여요 → 구경해요
будущее время : 구경하 + ㄹ 거예요 → 구경할 거예요

(103) 그리다 [geurida]

рисовать

Создавать плоские изображения с помощью карандаша, кисти и т.п.

прошедшее время : 그리 + 었어요 → 그렸어요
настоящее время : 그리 + 어요 → 그려요
будущее время : 그리 + ㄹ 거예요 → 그릴 거예요

(104) 노래하다 [noraehada]

петь

Издавать голосом словесно-музыкальное произведение.

прошедшее время : 노래하 + 였어요 → 노래했어요
настоящее время : 노래하 + 여요 → 노래해요
будущее время : 노래하 + ㄹ 거예요 → 노래할 거예요

(105) 놀다 [nolda]

играть; гулять; отдыхать

Интересно и весело проводить время за игрой и т.п.

прошедшее время : 놀 + 았어요 → 놀았어요
настоящее время : 놀 + 아요 → 놀아요
будущее время : 놀 + ㄹ 거예요 → 놀 거예요

(106) 독서하다 [dokseohada]

читать

Читать книгу.

прошедшее время : 독서하 + 였어요 → 독서했어요
настоящее время : 독서하 + 여요 → 독서해요
будущее время : 독서하 + ㄹ 거예요 → 독서할 거예요

(107) 등산하다 [deungsanhada]

восходить в гору

Подниматься в гору для отдыха или занятий спортом.

прошедшее время : 등산하 + 였어요 → 등산했어요
настоящее время : 등산하 + 여요 → 등산해요
будущее время : 등산하 + ㄹ 거예요 → 등산할 거예요

(108) 부르다 [bureuda]

петь

Исполнять голосом какой-либо музыкальный мотив.

прошедшее время : 부르 + 었어요 → 불렀어요
настоящее время : 부르 + 어요 → 불러요
будущее время : 부르 + ㄹ 거예요 → 부를 거예요

(109) 불다 [bulda]

играть

Производить звуки на духовых инструментах, прикладывая их к губам и выдувая из них воздух.

прошедшее время : 불 + 었어요 → 불었어요
настоящее время : 불 + 어요 → 불어요
будущее время : 불 + ㄹ 거예요 → 불 거예요

(110) 산책하다 [sanchaekada]

совершать прогулку

Медленно прогуливаться по окрестности с целью отдыха или соблюдения здорового образа жизни.

прошедшее время : 산책하 + 였어요 → 산책했어요
настоящее время : 산책하 + 여요 → 산책해요
будущее время : 산책하 + ㄹ 거예요 → 산책할 거예요

(111) 수영하다 [suyeonghada]

плавать

Передвигаться в воде.

прошедшее время : 수영하 + 였어요 → 수영했어요
настоящее время : 수영하 + 여요 → 수영해요
будущее время : 수영하 + ㄹ 거예요 → 수영할 거예요

(112) 여행하다 [yeohaenghada]

путешествовать, совершать поездку

Выехав из дома, ездить и осматривать другие районы или зарубежные страны.

прошедшее время : 여행하 + 였어요 → 여행했어요
настоящее время : 여행하 + 여요 → 여행해요
будущее время : 여행하 + ㄹ 거예요 → 여행할 거예요

(113) 운동하다 [undonghada]

заниматься спортом; заниматься физкультурой; упражняться

Двигать телом для укрепления или оздоровления организма.

прошедшее время : 운동하 + 였어요 → 운동했어요
настоящее время : 운동하 + 여요 → 운동해요
будущее время : 운동하 + ㄹ 거예요 → 운동할 거예요

(114) 즐기다 [jeulgida]

весело проводить время; радоваться

Наслаждаться чем-либо с радостью.

прошедшее время : 즐기 + 었어요 → 즐겼어요
настоящее время : 즐기 + 어요 → 즐겨요
будущее время : 즐기 + ㄹ 거예요 → 즐길 거예요

(115) 찍다 [jjikda]

фотографировать; делать фотографии

Снимать на плёнку что-либо с помощью фотокамеры.

прошедшее время : 찍 + 었어요 → 찍었어요
настоящее время : 찍 + 어요 → 찍어요
будущее время : 찍 + 을 거예요 → 찍을 거예요

(116) 추다 [chuda]

танцевать; плясать

Совершать танцевальные движения.

прошедшее время : 추 + 었어요 → 췄어요
настоящее время : 추 + 어요 → 춰요
будущее время : 추 + ㄹ 거예요 → 출 거예요

(117) 춤추다 [chumchuda]

танцевать

Двигать телом под музыку или ритм.

прошедшее время : 춤추 + 었어요 → 춤췄어요
настоящее время : 춤추 + 어요 → 춤춰요
будущее время : 춤추 + ㄹ 거예요 → 춤출 거예요

(118) 켜다 [kyeoda]

играть на струнных инструментах

Создавать звук путём трения струн музыкальных инструментов о смычок.

прошедшее время : 켜 + 었어요 → 켰어요
настоящее время : 켜 + 어요 → 켜요
будущее время : 켜 + ㄹ 거예요 → 켤 거예요

(119) 타다 [tada]

садиться; кататься

Двигаться, разместившись на качелях, каруселях и т.п.

прошедшее время : 타 + 았어요 → 탔어요
настоящее время : 타 + 아요 → 타요
будущее время : 타 + ㄹ 거예요 → 탈 거예요

(120) 검사하다 [geomsahada]

рассматривать; обследовать; проверять; исследовать; испытывать; осматривать; инспектировать; контролировать

Производить тщательное исследование, изучение чего-либо.

прошедшее время : 검사하 + 였어요 → 검사했어요
настоящее время : 검사하 + 여요 → 검사해요
будущее время : 검사하 + ㄹ 거예요 → 검사할 거예요

(121) 고치다 [gochida]

лечить

Излечивать болезнь.

прошедшее время : 고치 + 었어요 → 고쳤어요
настоящее время : 고치 + 어요 → 고쳐요
будущее время : 고치 + ㄹ 거예요 → 고칠 거예요

(122) 바르다 [bareuda]

мазать

Наносить жидкость или порошок и т.п. на какую-либо поверхность.

прошедшее время : 바르 + 았어요 → 발랐어요
настоящее время : 바르 + 아요 → 발라요
будущее время : 바르 + ㄹ 거예요 → 바를 거예요

(123) 수술하다 [susulhada]

оперировать; проводить операцию

Лечить какое-либо заболевание хирургическим путём, т.е. разрезав и зашив какую-либо часть тела.

прошедшее время : 수술하 + 였어요 → 수술했어요
настоящее время : 수술하 + 여요 → 수술해요
будущее время : 수술하 + ㄹ 거예요 → 수술할 거예요

(124) 입원하다 [ibwonhada]

ложиться в больницу; отправляться на лечение; быть госпитализированным

Идти в больницу и проводить там определённое время с целью вылечить болезнь.

прошедшее время : 입원하 + 였어요 → 입원했어요
настоящее время : 입원하 + 여요 → 입원해요
будущее время : 입원하 + ㄹ 거예요 → 입원할 거예요

(125) 퇴원하다 [toewonhada]

выписываться из больницы

Выходить из больницы (о пациенте, пролежавшем в больнице в течение определённого срока и получившем лечение).

прошедшее время : 퇴원하 + 였어요 → 퇴원했어요
настоящее время : 퇴원하 + 여요 → 퇴원해요
будущее время : 퇴원하 + ㄹ 거예요 → 퇴원할 거예요

(126) 먹다 [meokda]

есть; кушать

Принимать пищу во внутрь посредством ротовой полости.

прошедшее время : 먹 + 었어요 → 먹었어요
настоящее время : 먹 + 어요 → 먹어요
будущее время : 먹 + 을 거예요 → 먹을 거예요

(127) 마시다 [masida]

пить

Глотать, поглощать воду или какую-либо жидкость.

прошедшее время : 마시 + 었어요 → 마셨어요
настоящее время : 마시 + 어요 → 마셔요
будущее время : 마시 + ㄹ 거예요 → 마실 거예요

(128) 굽다 [gupda]

жарить

Доводить до готовности на огне (о еде).

прошедшее время : 굽 + 었어요 → 구웠어요
настоящее время : 굽 + 어요 → 구워요
будущее время : 굽 + ㄹ 거예요 → 구울 거예요

(129) 깎다 [kkakda]

чистить; срезать; строгать

Тонко срезать ножом или другим инструментом поверхность предметов или кожуру фруктов и т.п.

прошедшее время : 깎 + 았어요 → **깎았어요**
настоящее время : 깎 + 아요 → **깎아요**
будущее время : 깎 + 을 거예요 → **깎을 거예요**

(130) 끓다 [kkeulta]

кипеть; бурлить

Пузыриться при сильном нагревании (о жидкости).

прошедшее время : 끓 + 었어요 → **끓었어요**
настоящее время : 끓 + 어요 → **끓어요**
будущее время : 끓 + 을 거예요 → **끓을 거예요**

(131) 끓이다 [kkeurida]

варить; кипятить

Готовить еду, положив её в воду или жидкость и сильно подогрев.

прошедшее время : 끓이 + 었어요 → **끓였어요**
настоящее время : 끓이 + 어요 → **끓여요**
будущее время : 끓이 + ㄹ 거예요 → **끓일 거예요**

(132) 볶다 [bokda]

жарить; тушить

Ставить еду, из которой почти полностью удалена влага, на огонь и, помешивая, доводить до состояния готовности.

прошедшее время : 볶 + 았어요 → **볶았어요**
настоящее время : 볶 + 아요 → **볶아요**
будущее время : 볶 + 을 거예요 → **볶을 거예요**

(133) 섞다 [seokda]

смешивать с чем; подмешивать; примешивать; прибавлять

Соединять два и более компонентов в один.

прошедшее время : 섞 + 었어요 → 섞었어요
настоящее время : 섞 + 어요 → 섞어요
будущее время : 섞 + 을 거예요 → 섞을 거예요

(134) 썰다 [sseolda]

нарезать; отрезать

Разрезать что-либо или разделять на несколько частей, приставив нож, пилу и т.п., нажав вниз и двигая лезвием вверх-вниз.

прошедшее время : 썰 + 었어요 → 썰었어요
настоящее время : 썰 + 어요 → 썰어요
будущее время : 썰 + ㄹ 거예요 → 썰 거예요

(135) 씹다 [ssipda]

жевать

Размельчать, разминать пищу во рту (о человеке, животном).

прошедшее время : 씹 + 었어요 → 씹었어요
настоящее время : 씹 + 어요 → 씹어요
будущее время : 씹 + 을 거예요 → 씹을 거예요

(136) 익다 [ikda]

быть готовым; доходить до готовности; свариться; пожариться

Менять вкус или качество под воздействием температуры
(о мясе, овощах, зерновых и т.п.).

прошедшее время : 익 + 었어요 → 익었어요
настоящее время : 익 + 어요 → 익어요
будущее время : 익 + 을 거예요 → 익을 거예요

(137) 찌다 [jjida]

готовить на пару

Подогревать или доводить до готовности еду при помощи пара.

прошедшее время : 찌 + 었어요 → 쪘어요
настоящее время : 찌 + 어요 → 쪄요
будущее время : 찌 + ㄹ 거예요 → 찔 거예요

(138) 타다 [tada]

сгорать

Слишком сильно зажариваться вплоть до чёрного цвета засчёт высокой температуры.

прошедшее время : 타 + 았어요 → 탔어요
настоящее время : 타 + 아요 → 타요
будущее время : 타 + ㄹ 거예요 → 탈 거예요

(139) 튀기다 [twigida]

жарить на масле

Обжаривать в кипящем масле.

прошедшее время : 튀기 + 었어요 → 튀겼어요
настоящее время : 튀기 + 어요 → 튀겨요
будущее время : 튀기 + ㄹ 거예요 → 튀길 거예요

(140) 갈아입다 [garaipda]

переодеваться

Снять и надеть другую одежду.

прошедшее время : 갈아입 + 었어요 → 갈아입었어요
настоящее время : 갈아입 + 어요 → 갈아입어요
будущее время : 갈아입 + 을 거예요 → 갈아입을 거예요

(141) 끼다 [kkida]

надевать; закреплять; вкладывать

Вставлять что-либо, чтобы избежать его выпадения.

прошедшее время : 끼 + 었어요 → 꼈어요
настоящее время : 끼 + 어요 → 껴요
будущее время : 끼 + ㄹ 거예요 → 낄 거예요

(142) 매다 [maeda]

завязывать; связывать; привязывать

Связывать шнурки, два конца верёвки, чтобы не развязались.

прошедшее время : 매 + 었어요 → 맸어요
настоящее время : 매 + 어요 → 매요
будущее время : 매 + ㄹ 거예요 → 맬 거예요

(143) 벗다 [beotda]

снимать

Удалять с тела предметы одежды, обувь, украшения и т.п.

прошедшее время : 벗 + 었어요 → 벗었어요
настоящее время : 벗 + 어요 → 벗어요
будущее время : 벗 + 을 거예요 → 벗을 거예요

(144) 신다 [sinda]

обувать; надевать (на ноги)

Поместив ногу во внутрь обуви, носка и т.п., покрывать всю ногу или часть ноги.

прошедшее время : 신 + 었어요 → 신었어요
настоящее время : 신 + 어요 → 신어요
будущее время : 신 + 을 거예요 → 신을 거예요

(145) 쓰다 [sseuda]

надевать; носить

Покрывать голову шляпой, париком и т.п.

прошедшее время : 쓰 + 었어요 → 썼어요
настоящее время : 쓰 + 어요 → 써요
будущее время : 쓰 + ㄹ 거예요 → 쓸 거예요

(146) 입다 [ipda]

надевать; одевать[ся]

Натягивать или накидывать одежду на тело.

прошедшее время : 입 + 었어요 → 입었어요
настоящее время : 입 + 어요 → 입어요
будущее время : 입 + 을 거예요 → 입을 거예요

(147) 차다 [chada]

надевать

Завязывать или вешать что-либо на пояс, запястье, лодыжку.

прошедшее время : 차 + 았어요 → 찼어요
настоящее время : 차 + 아요 → 차요
будущее время : 차 + ㄹ 거예요 → 찰 거예요

(148) 기르다 [gireuda]

отращивать

Делать так, чтобы росли волосы, усы и т. п.

прошедшее время : 기르 + 었어요 → 길렀어요
настоящее время : 기르 + 어요 → 길러요
будущее время : 기르 + ㄹ 거예요 → 기를 거예요

(149) 깎다 [kkakda]

стричь; брить; косить

Укорачивать или срезать (шерсть, траву и т.п.).

прошедшее время : 깎 + 았어요 → 깎았어요
настоящее время : 깎 + 아요 → 깎아요
будущее время : 깎 + 을 거예요 → 깎을 거예요

(150) 드라이하다 [deuraihada]

сушить; укладывать

Производить сушку либо укладку волос с использованием фена.

прошедшее время : 드라이하 + 였어요 → 드라이했어요
настоящее время : 드라이하 + 여요 → 드라이해요
будущее время : 드라이하 + ㄹ 거예요 → 드라이할 거예요

(151) 면도하다 [myeondohada]

брить

Удалять волосы на лице или других частях тела с помощью бритвы.

прошедшее время : 면도하 + 였어요 → 면도했어요
настоящее время : 면도하 + 여요 → 면도해요
будущее время : 면도하 + ㄹ 거예요 → 면도할 거예요

(152) 빗다 [bitda]

расчёсывать; причёсывать

Прямо разглаживать волосы или шерсть расчёской, руками и т.д.

прошедшее время : 빗 + 었어요 → 빗었어요
настоящее время : 빗 + 어요 → 빗어요
будущее время : 빗 + 을 거예요 → 빗을 거예요

(153) 염색하다 [yeomsaekada]

окрашивать

Красить ткань, нить или волосы в какой-либо цвет.

прошедшее время : 염색하 + 였어요 → 염색했어요
настоящее время : 염색하 + 여요 → 염색해요
будущее время : 염색하 + ㄹ 거예요 → 염색할 거예요

(154) 이발하다 [ibalhada]

делать стрижку; стричь волосы

Укорачивать длину волос.

прошедшее время : 이발하 + 였어요 → 이발했어요
настоящее время : 이발하 + 여요 → 이발해요
будущее время : 이발하 + ㄹ 거예요 → 이발할 거예요

(155) 파마하다 [pamahada]

делать химическую завивку волос; делать химическое выпрямление волос

Завивать или выпрямлять волосы при помощи специального прибора или химических препаратов для сохранения такого состояния волос в течение долгого периода.

прошедшее время : 파마하 + 였어요 → 파마했어요
настоящее время : 파마하 + 여요 → 파마해요
будущее время : 파마하 + ㄹ 거예요 → 파마할 거예요

(156) 화장하다 [hwajanghada]

краситься

Наносить косметику на лицо и украшать.

прошедшее время : 화장하 + 였어요 → 화장했어요
настоящее время : 화장하 + 여요 → 화장해요
будущее время : 화장하 + ㄹ 거예요 → 화장할 거예요

(157) 이사하다 [isahada]

переезжать

Менять одно местожительство на другое.

прошедшее время : 이사하 + 였어요 → 이사했어요
настоящее время : 이사하 + 여요 → 이사해요
будущее время : 이사하 + ㄹ 거예요 → 이사할 거예요

(158) 머무르다 [meomureuda]

останавливаться; селиться; осесть; оставаться; пребывать; обитать

Останавливаться по пути или селиться временно в каком-либо месте.

прошедшее время : 머무르 + 었어요 → 머물렀어요
настоящее время : 머무르 + 어요 → 머물러요
будущее время : 머무르 + ㄹ 거예요 → 머무를 거예요

(159) 묵다 [mukda]

ночевать; останавливаться

Временно располагаться в качестве гостя.

прошедшее время : 묵 + 었어요 → 묵었어요
настоящее время : 묵 + 어요 → 묵어요
будущее время : 묵 + 을 거예요 → 묵을 거예요

(160) 숙박하다 [sukbakada]

ночевать; остановиться на ночлег

Остановиться в гостинице, отеле и т.п. на ночь для сна.

прошедшее время : 숙박하 + 였어요 → 숙박했어요
настоящее время : 숙박하 + 여요 → 숙박해요
будущее время : 숙박하 + ㄹ 거예요 → 숙박할 거예요

(161) 체류하다 [cheryuhada]

пребывать

Проживать в определённом удалённом месте вне дома.

прошедшее время : 체류하 + 였어요 → 체류했어요
настоящее время : 체류하 + 여요 → 체류해요
будущее время : 체류하 + ㄹ 거예요 → 체류할 거예요

(162) 걸다 [geolda]

вешать; накидывать: нацеплять; зацеплять

Вешать что-либо куда-либо так, чтобы не упало.

прошедшее время : 걸 + 었어요 → 걸었어요
настоящее время : 걸 + 어요 → 걸어요
будущее время : 걸 + ㄹ 거예요 → 걸 거예요

(163) 고치다 [gochida]

ремонтировать

Чинить для дальнейшего использования поломанную или негодную для использования вещь.

прошедшее время : 고치 + 었어요 → 고쳤어요
настоящее время : 고치 + 어요 → 고쳐요
будущее время : 고치 + ㄹ 거예요 → 고칠 거예요

(164) 끄다 [kkeuda]

тушить

Прекращать горение огня.

прошедшее время : 끄 + 었어요 → 껐어요
настоящее время : 끄 + 어요 → 꺼요
будущее время : 끄 + ㄹ 거예요 → 끌 거예요

(165) 빨다 [ppalda]

стирать

Мыть руками или в стиральной машине одежду и т.п., очищая её от загрязнения.

прошедшее время : 빨 + 았어요 → **빨았어요**
настоящее время : 빨 + 아요 → **빨아요**
будущее время : 빨 + ㄹ 거예요 → **빨 거예요**

(166) 설거지하다 [seolgeojihada]

мыть посуду

Очищать посуду после еды.

прошедшее время : 설거지하 + 였어요 → **설거지했어요**
настоящее время : 설거지하 + 여요 → **설거지해요**
будущее время : 설거지하 + ㄹ 거예요 → **설거지할 거예요**

(167) 세탁하다 [setakada]

нет эквивалента

Стирать грязную одежду и т.п.

прошедшее время : 세탁하 + 였어요 → **세탁했어요**
настоящее время : 세탁하 + 여요 → **세탁해요**
будущее время : 세탁하 + ㄹ 거예요 → **세탁할 거예요**

(168) 정리하다 [jeongnihada]

приводить в порядок

Собирать вместе, убирать что-либо, что находится в беспорядочном, разбросанном состоянии.

прошедшее время : 정리하 + 였어요 → **정리했어요**
настоящее время : 정리하 + 여요 → **정리해요**
будущее время : 정리하 + ㄹ 거예요 → **정리할 거예요**

(169) 청소하다 [cheongsohada]

убирать; прибирать

Приводить в порядок что-либо, наводить порядок где-либо, производить уборку чего-либо.

прошедшее время : 청소하 + 였어요 → **청소했어요**
настоящее время : 청소하 + 여요 → **청소해요**
будущее время : 청소하 + ㄹ 거예요 → **청소할 거예요**

(170) 켜다 [kyeoda]

зажигать

Заставить гореть, светиться свечу, лампу и т.п. при помощи спичек, зажигалки и т.п.

прошедшее время : 켜 + 었어요 → **켰어요**
настоящее время : 켜 + 어요 → **켜요**
будущее время : 켜 + ㄹ 거예요 → **켤 거예요**

(171) 말리다 [mallida]

сушить

Избавить что-либо от влаги.

прошедшее время : 말리 + 었어요 → **말렸어요**
настоящее время : 말리 + 어요 → **말려요**
будущее время : 말리 + ㄹ 거예요 → **말릴 거예요**

(172) 삶다 [samda]

варить

Кипятить в воде.

прошедшее время : 삶 + 았어요 → **삶았어요**
настоящее время : 삶 + 아요 → **삶아요**
будущее время : 삶 + 을 거예요 → **삶을 거예요**

(173) 쓸다 [sseulda]

подметать

Очищать что-либо, собирая в одно место.

прошедшее время : 쓸 + 었어요 → 쓸었어요
настоящее время : 쓸 + 어요 → 쓸어요
будущее время : 쓸 + ㄹ 거예요 → 쓸 거예요

(174) 가져가다 [gajeogada]

забрать; взять

Уходить, перенося какую-либо вещь с одного места на другое.

прошедшее время : 가져가 + 았어요 → 가져갔어요
настоящее время : 가져가 + 아요 → 가져가요
будущее время : 가져가 + ㄹ 거예요 → 가져갈 거예요

(175) 가져오다 [gajeooda]

приносить; доставлять; привозить

Переносить какую-либо вещь из одного места в другое.

прошедшее время : 가져오 + 았어요 → 가져왔어요
настоящее время : 가져오 + 아요 → 가져와요
будущее время : 가져오 + ㄹ 거예요 → 가져올 거예요

(176) 거절하다 [geojeolhada]

отказывать наотрез

Не принимать предложение, просьбу, подарок и т.п.

прошедшее время : 거절하 + 였어요 → 거절했어요
настоящее время : 거절하 + 여요 → 거절해요
будущее время : 거절하 + ㄹ 거예요 → 거절할 거예요

(177) 걸다 [geolda]

звонить

Набирать номер телефона.

прошедшее время : 걸 + 었어요 → 걸었어요
настоящее время : 걸 + 어요 → 걸어요
будущее время : 걸 + ㄹ 거예요 → 걸 거예요

(178) 기다리다 [gidarida]

ждать; ожидать; подождать

Проводить время до прихода какого-либо человека, наступления определённого времени или завершения какого-либо дела.

прошедшее время : 기다리 + 었어요 → 기다렸어요
настоящее время : 기다리 + 어요 → 기다려요
будущее время : 기다리 + ㄹ 거예요 → 기다릴 거예요

(179) 나누다 [nanuda]

обмениваться

Обмениваться словами, рассказами, приветствиями и т.п.

прошедшее время : 나누 + 었어요 → 나눴어요
настоящее время : 나누 + 어요 → 나눠요
будущее время : 나누 + ㄹ 거예요 → 나눌 거예요

(180) 데려가다 [deryeogada]

Забирать с собой

брать с собой; вести за собой; принуждать идти за собой.

прошедшее время : 데려가 + 았어요 → 데려갔어요
настоящее время : 데려가 + 아요 → 데려가요
будущее время : 데려가 + ㄹ 거예요 → 데려갈 거예요

(181) 데려오다 [deryeooda]

приводить с собой

Ведя, доставлять кого-либо куда-либо.

прошедшее время : 데려오 + 았어요 → 데려왔어요
настоящее время : 데려오 + 아요 → 데려와요
будущее время : 데려오 + ㄹ 거예요 → 데려올 거예요

(182) 데이트하다 [deiteuhada]

нет эквивалента

Встречаться (о мужчине и женщине).

прошедшее время : 데이트하 + 였어요 → 데이트했어요
настоящее время : 데이트하 + 여요 → 데이트해요
будущее время : 데이트하 + ㄹ 거예요 → 데이트할 거예요

(183) 도와주다 [dowajuda]

помогать

Оказывать помощь или выполнять работу какого-либо человека.

прошедшее время : 도와주 + 었어요 → 도와줬어요
настоящее время : 도와주 + 어요 → 도와줘요
будущее время : 도와주 + ㄹ 거예요 → 도와줄 거예요

(184) 돌려주다 [dollyeojuda]

отдавать; возвращать

Возвращать хозяину взятое взаймы или отобранное.

прошедшее время : 돌려주 + 었어요 → 돌려줬어요
настоящее время : 돌려주 + 어요 → 돌려줘요
будущее время : 돌려주 + ㄹ 거예요 → 돌려줄 거예요

(185) 돕다 [dopda]

помогать; оказывать помощь

Помогать другим в каком-либо деле.

прошедшее время : 돕 + 았어요 → 도왔어요
настоящее время : 돕 + 아요 → 도와요
будущее время : 돕 + ㄹ 거예요 → 도울 거예요

(186) 드리다 [deurida]

вручать; преподносить

(вежл.) Давать. Передавать что-либо другому человеку для владения или использования.

прошедшее время : 드리 + 었어요 → 드렸어요
настоящее время : 드리 + 어요 → 드려요
будущее время : 드리 + ㄹ 거예요 → 드릴 거예요

(187) 만나다 [mannada]

встречаться

Стоять лицом к лицу с кем-либо.

прошедшее время : 만나 + 았어요 → 만났어요
настоящее время : 만나 + 아요 → 만나요
будущее время : 만나 + ㄹ 거예요 → 만날 거예요

(188) 바꾸다 [bakkuda]

[за]менять; обменивать; изменять; переменить

Удалять то, что было изначально, и заменять на что-либо другое.

прошедшее время : 바꾸 + 었어요 → 바꿨어요
настоящее время : 바꾸 + 어요 → 바꿔요
будущее время : 바꾸 + ㄹ 거예요 → 바꿀 거예요

(189) 받다 [batda]

получать; принимать

Брать то, что дает или присылает другой человек.

прошедшее время : 받 + 았어요 → 받았어요
настоящее время : 받 + 아요 → 받아요
будущее время : 받 + 을 거예요 → 받을 거예요

(190) 방문하다 [bangmunhada]

посещать; посетить; прибыть с визитом; наносить визит

Посещать какое-либо место для встречи с кем-либо или осмотра чего-либо.

прошедшее время : 방문하 + 였어요 → 방문했어요
настоящее время : 방문하 + 여요 → 방문해요
будущее время : 방문하 + ㄹ 거예요 → 방문할 거예요

(191) 보내다 [bonaeda]

отправлять; посылать

Направлять человека или предмет в другое место.

прошедшее время : 보내 + 었어요 → 보냈어요
настоящее время : 보내 + 어요 → 보내요
будущее время : 보내 + ㄹ 거예요 → 보낼 거예요

(192) 보다 [boda]

смотреть; рассматривать

Любоваться или просматривать объект глазами.

прошедшее время : 보 + 았어요 → 봤어요
настоящее время : 보 + 아요 → 봐요
будущее время : 보 + ㄹ 거예요 → 볼 거예요

(193) 뵈다 [boeda]

встречать(ся); видеть(ся); навещать

Встречаться со старшим по возрасту или положению человеком.

прошедшее время : 뵈 + 었어요 → 뵀어요
настоящее время : 뵈 + 어요 → 봬요
будущее время : 뵈 + ㄹ 거예요 → 뵐 거예요

(194) 부탁하다 [butakada]

просить; поручать

Просить или поручать сделать какое-либо дело.

прошедшее время : 부탁하 + 였어요 → 부탁했어요
настоящее время : 부탁하 + 여요 → 부탁해요
будущее время : 부탁하 + ㄹ 거예요 → 부탁할 거예요

(195) 사귀다 [sagwida]

дружить; общаться

Тесно дружить с кем-либо.

прошедшее время : 사귀 + 었어요 → 사귀었어요
настоящее время : 사귀 + 어요 → 사귀어요
будущее время : 사귀 + ㄹ 거예요 → 사귈 거예요

(196) 세배하다 [sebaehada]

нет эквивалента

Совершать поклон старшим в знак приветствия в новый год по лунному календарю.

прошедшее время : 세배하 + 였어요 → 세배했어요
настоящее время : 세배하 + 여요 → 세배해요
будущее время : 세배하 + ㄹ 거예요 → 세배할 거예요

(197) 소개하다 [sogaehada]

представлять

Связывать двух незнакомых между собой людей для поддержания хорошей дружбы, отношений.

прошедшее время : 소개하 + 였어요 → 소개했어요
настоящее время : 소개하 + 여요 → 소개해요
будущее время : 소개하 + ㄹ 거예요 → 소개할 거예요

(198) 신청하다 [sincheonghada]

подавать заявление

Официально обращаться с просьбой о предоставлении работы в какую-либо группу или организацию.

прошедшее время : 신청하 + 였어요 → 신청했어요
настоящее время : 신청하 + 여요 → 신청해요
будущее время : 신청하 + ㄹ 거예요 → 신청할 거예요

(199) 실례하다 [sillyehada]

извиняться; нарушать этикет; проявлять нетактичность; проявлять бестактность (невежливость)

Нарушать правила приличия словами или поведением.

прошедшее время : 실례하 + 였어요 → 실례했어요
настоящее время : 실례하 + 여요 → 실례해요
будущее время : 실례하 + ㄹ 거예요 → 실례할 거예요

(200) 싸우다 [ssauda]

спорить; ссориться; драться

Противостоять, чтобы победить кого-либо словами или силой.

прошедшее время : 싸우 + 었어요 → 싸웠어요
настоящее время : 싸우 + 어요 → 싸워요
будущее время : 싸우 + ㄹ 거예요 → 싸울 거예요

(201) 안내하다 [annaehada]

информировать; делать доступным; распространять

Сообщать о каком-либо содержании.

прошедшее время : 안내하 + 였어요 → 안내했어요
настоящее время : 안내하 + 여요 → 안내해요
будущее время : 안내하 + ㄹ 거예요 → 안내할 거예요

(202) 약속하다 [yaksokada]

обещать

Давать слово или заранее договариваться с кем-либо о чём-либо.

прошедшее время : 약속하 + 였어요 → 약속했어요
настоящее время : 약속하 + 여요 → 약속해요
будущее время : 약속하 + ㄹ 거예요 → 약속할 거예요

(203) 얻다 [eotda]

Получать

получать что-либо без особых усилий или оплаты.

прошедшее время : 얻 + 었어요 → 얻었어요
настоящее время : 얻 + 어요 → 얻어요
будущее время : 얻 + 을 거예요 → 얻을 거예요

(204) 연락하다 [yeollakada]

связываться; соединяться; иметь контакт

Передавать и сообщать какой-либо факт.

прошедшее время : 연락하 + 였어요 → 연락했어요
настоящее время : 연락하 + 여요 → 연락해요
будущее время : 연락하 + ㄹ 거예요 → 연락할 거예요

(205) 이기다 [igida]

побеждать; одерживать победу; выигрывать

Показывать более высокие результаты, подавив противника в споре, состязаниях, драке и т.п.

прошедшее время : 이기 + 었어요 → 이겼어요
настоящее время : 이기 + 어요 → 이겨요
будущее время : 이기 + ㄹ 거예요 → 이길 거예요

(206) 인사하다 [insahada]

приветствовать; прощаться; здороваться; знакомиться; представляться

Соблюдать правила приличия при встрече или расставании.

прошедшее время : 인사하 + 였어요 → 인사했어요
настоящее время : 인사하 + 여요 → 인사해요
будущее время : 인사하 + ㄹ 거예요 → 인사할 거예요

(207) 전하다 [jeonhada]

передавать

Пересказывать что-либо, отдавать что-либо кому-либо.

прошедшее время : 전하 + 였어요 → 전했어요
настоящее время : 전하 + 여요 → 전해요
будущее время : 전하 + ㄹ 거예요 → 전할 거예요

(208) 정하다 [jeonghada]

определять; устанавливать; назначать

Выбирать одно из нескольких.

прошедшее время : 정하 + 였어요 → 정했어요
настоящее время : 정하 + 여요 → 정해요
будущее время : 정하 + ㄹ 거예요 → 정할 거예요

(209) 주다 [juda]

давать

Предоставлять что-либо кому-либо для использования.

прошедшее время : 주 + 었어요 → 줬어요
настоящее время : 주 + 어요 → 줘요
будущее время : 주 + ㄹ 거예요 → 줄 거예요

(210) 지다 [jida]

проигрывать; терпеть поражение

Быть побеждённым противником, соперником в игре или соревновании.

прошедшее время : 지 + 었어요 → 졌어요
настоящее время : 지 + 어요 → 져요
будущее время : 지 + ㄹ 거예요 → 질 거예요

(211) 지키다 [jikida]

выполнять; соблюдать

Неукоснительно следовать обещанию, закону, этикету, правилам и т.п.

прошедшее время : 지키 + 었어요 → 지켰어요
настоящее время : 지키 + 어요 → 지켜요
будущее время : 지키 + ㄹ 거예요 → 지킬 거예요

(212) 찾아가다 [chajagada]

навещать; идти с визитом; посещать

Идти в какое-либо место по делу или чтобы встретиться с определённым человеком.

прошедшее время : 찾아가 + 았어요 → 찾아갔어요
настоящее время : 찾아가 + 아요 → 찾아가요
будущее время : 찾아가 + ㄹ 거예요 → 찾아갈 거예요

(213) 찾아오다 [chajaoda]

приходить; приходить с визитом; навещать; посещать

Приходить по какому-либо делу или для того, чтобы встретиться с человеком.

прошедшее время : 찾아오 + 았어요 → 찾아왔어요
настоящее время : 찾아오 + 아요 → 찾아와요
будущее время : 찾아오 + ㄹ 거예요 → 찾아올 거예요

(214) 초대하다 [chodaehada]

приглашать

Просить кого-либо прийти куда-либо, на какое-либо собрание, мероприятие и т.п.

прошедшее время : 초대하 + 였어요 → 초대했어요
настоящее время : 초대하 + 여요 → 초대해요
будущее время : 초대하 + ㄹ 거예요 → 초대할 거예요

(215) 축하하다 [chukahada]

поздравлять кого-либо; приветствовать кого-либо

Приветствовать и радоваться хорошим событиям, произошедшим с кем-либо.

прошедшее время : 축하하 + 였어요 → 축하했어요
настоящее время : 축하하 + 여요 → 축하해요
будущее время : 축하하 + ㄹ 거예요 → 축하할 거예요

(216) 취소하다 [chwisohada]

отменить

Объявить о недействительности ранее сказанного, обещанного, запланированного и т.п.

прошедшее время : 취소하 + 였어요 → 취소했어요
настоящее время : 취소하 + 여요 → 취소해요
будущее время : 취소하 + ㄹ 거예요 → 취소할 거예요

(217) 헤어지다 [heeojida]

расставаться; разлучаться; расходиться

Отдаляться от человека, который был рядом.

прошедшее время : 헤어지 + 었어요 → 헤어졌어요
настоящее время : 헤어지 + 어요 → 헤어져요
будущее время : 헤어지 + ㄹ 거예요 → 헤어질 거예요

(218) 환영하다 [hwanyeonghada]

приветствовать

Радостно встречать пришедшего человека.

прошедшее время : 환영하 + 였어요 → 환영했어요
настоящее время : 환영하 + 여요 → 환영해요
будущее время : 환영하 + ㄹ 거예요 → 환영할 거예요

(219) 갈아타다 [garatada]

пересесть; делать пересадку

Пересаживаться с одного транспорта на другой.

прошедшее время : 갈아타 + 았어요 → 갈아탔어요
настоящее время : 갈아타 + 아요 → 갈아타요
будущее время : 갈아타 + ㄹ 거예요 → 갈아탈 거예요

(220) 건너가다 [geonneogada]

переходить; пересекать

Идти с одной стороны реки, моста, дороги и др. на другую сторону.

прошедшее время : 건너가 + 았어요 → 건너갔어요
настоящее время : 건너가 + 아요 → 건너가요
будущее время : 건너가 + ㄹ 거예요 → 건너갈 거예요

(221) 건너다 [geonneoda]

переходить; пересекать

Перемещаться на противоположную сторону через что-либо или мимо чего-либо.

прошедшее время : 건너 + 었어요 → 건넜어요
настоящее время : 건너 + 어요 → 건너요
будущее время : 건너 + ㄹ 거예요 → 건널 거예요

(222) 내리다 [naerida]

выходить

Высаживаться из какого-либо транспорта.

прошедшее время : 내리 + 었어요 → 내렸어요
настоящее время : 내리 + 어요 → 내려요
будущее время : 내리 + ㄹ 거예요 → 내릴 거예요

(223) 도착하다 [dochakada]

прибывать; приезжать; прилетать; приходить

Достигать пункта назначения.

прошедшее время : 도착하 + 였어요 → 도착했어요
настоящее время : 도착하 + 여요 → 도착해요
будущее время : 도착하 + ㄹ 거예요 → 도착할 거예요

(224) 막히다 [makida]

создать пробку

Скапливаться на дороге, мешая нормальному движению (о транспортных средствах).

прошедшее время : 막히 + 었어요 → 막혔어요
настоящее время : 막히 + 어요 → 막혀요
будущее время : 막히 + ㄹ 거예요 → 막힐 거예요

(225) 안전하다 [anjeonhada]

безопасный

Не представляющий опасности или не дающий повода для беспокойства.

прошедшее время : 안전하 + 였어요 → 안전했어요
настоящее время : 안전하 + 여요 → 안전해요
будущее время : 안전하 + ㄹ 거예요 → 안전할 거예요

(226) 운전하다 [unjeonhada]

водить машину; быть за рулём

Водить автомобиль или какое-либо транспортное средство.

прошедшее время : 운전하 + 였어요 → 운전했어요
настоящее время : 운전하 + 여요 → 운전해요
будущее время : 운전하 + ㄹ 거예요 → 운전할 거예요

(227) 위험하다 [wiheomhada]

опасный; рискованный

Небезопасный из-за возможности понесения ущерба или получения травмы.

прошедшее время : 위험하 + 였어요 → 위험했어요
настоящее время : 위험하 + 여요 → 위험해요
будущее время : 위험하 + ㄹ 거예요 → 위험할 거예요

(228) 주차하다 [juchahada]

ставить транспорт; парковаться

Временно останавливать транспорт и т.п. в определённом месте.

прошедшее время : 주차하 + 였어요 → 주차했어요
настоящее время : 주차하 + 여요 → 주차해요
будущее время : 주차하 + ㄹ 거예요 → 주차할 거예요

(229) 출발하다 [chulbalhada]

отправляться

Направляться куда-либо.

прошедшее время : 출발하 + 였어요 → 출발했어요
настоящее время : 출발하 + 여요 → 출발해요
будущее время : 출발하 + ㄹ 거예요 → 출발할 거예요

(230) 타다 [tada]

садиться на что-либо; ехать на чём-либо

Подниматься на транспортное средство либо взбираться на животное, которое служит средством передвижения.

прошедшее время : 타 + 았어요 → 탔어요
настоящее время : 타 + 아요 → 타요
будущее время : 타 + ㄹ 거예요 → 탈 거예요

(231) 출근하다 [chulgeunhada]

являться (выходить) на службу (на работу)

Выходить на рабочее место, чтобы работать.

прошедшее время : 출근하 + 였어요 → 출근했어요
настоящее время : 출근하 + 여요 → 출근해요
будущее время : 출근하 + ㄹ 거예요 → 출근할 거예요

(232) 출퇴근하다 [chultoegeunhada]

нет эквивалента

Идти на работу или приходить с неё.

прошедшее время : 출퇴근하 + 였어요 → 출퇴근했어요
настоящее время : 출퇴근하 + 여요 → 출퇴근해요
будущее время : 출퇴근하 + ㄹ 거예요 → 출퇴근할 거예요

(233) 취직하다 [chwijikada]

устраиваться на работу

Поступать на работу или получать рабочее место.

прошедшее время : 취직하 + 였어요 → 취직했어요
настоящее время : 취직하 + 여요 → 취직해요
будущее время : 취직하 + ㄹ 거예요 → 취직할 거예요

(234) 퇴근하다 [toegeunhada]

уходить с работы

Возвращаться (домой) с места работы после завершения рабочего дня.

прошедшее время : 퇴근하 + 였어요 → 퇴근했어요
настоящее время : 퇴근하 + 여요 → 퇴근해요
будущее время : 퇴근하 + ㄹ 거예요 → 퇴근할 거예요

(235) 회의하다 [hoeuihada]

проводить собрание

Обговаривать какое-либо дело, собравшись все вместе.

прошедшее время : 회의하 + 였어요 → 회의했어요
настоящее время : 회의하 + 여요 → 회의해요
будущее время : 회의하 + ㄹ 거예요 → 회의할 거예요

(236) 거짓말하다 [geojinmalhada]

врать, лгать

Говорить, выдавая что-либо ложное за правду.

прошедшее время : 거짓말하 + 였어요 → 거짓말했어요
настоящее время : 거짓말하 + 여요 → 거짓말해요
будущее время : 거짓말하 + ㄹ 거예요 → 거짓말할 거예요

(237) 농담하다 [nongdamhada]

шутить; вести шутливый разговор

Говорить что-либо с целью в шутку посмеяться над кем-либо или рассмешить кого-либо.

прошедшее время : 농담하 + 였어요 → **농담했어요**
настоящее время : 농담하 + 여요 → **농담해요**
будущее время : 농담하 + ㄹ 거예요 → **농담할 거예요**

(238) 대답하다 [daedapada]

отвечать

Говорить то, что соответствует требованиям или заданному вопросу.

прошедшее время : 대답하 + 였어요 → **대답했어요**
настоящее время : 대답하 + 여요 → **대답해요**
будущее время : 대답하 + ㄹ 거예요 → **대답할 거예요**

(239) 대화하다 [daehwahada]

вести диалог; беседовать

Разговаривать, находясь напротив друг друга.

прошедшее время : 대화하 + 였어요 → **했어요**
настоящее время : 대화하 + 여요 → **해요**
будущее время : 대화하 + ㄹ 거예요 → **할 거예요**

(240) 드리다 [deurida]

сообщать; докладывать

Говорить что-либо взрослому человеку или здороваться с ним.

прошедшее время : 드리 + 었어요 → **드렸어요**
настоящее время : 드리 + 어요 → **드려요**
будущее время : 드리 + ㄹ 거예요 → **드릴 거예요**

(241) 말하다 [malhada]

говорить

Выражать словесно какой-либо факт, собственные мысли, чувства.

прошедшее время : 말하 + 였어요 → **말했어요**
настоящее время : 말하 + 여요 → **말해요**
будущее время : 말하 + ㄹ 거예요 → **말할 거예요**

(242) 묻다 [mutda]

спрашивать; вопрошать; задавать вопрос

Говорить для того, чтобы получить ответ или разъяснение.

прошедшее время : 묻 + 었어요 → **물었어요**
настоящее время : 묻 + 어요 → **물어요**
будущее время : 묻 + 을 거예요 → **물을 거예요**

(243) 물어보다 [mureoboda]

спрашивать; расспрашивать

Спрашивать для того, чтобы что-либо узнать.

прошедшее время : 물어보 + 았어요 → **물어봤어요**
настоящее время : 물어보 + 아요 → **물어봐요**
будущее время : 물어보 + ㄹ 거예요 → **물어볼 거예요**

(244) 설명하다 [seolmyeonghada]

объяснять; разъяснять; толковать

Подробно разъяснять другим о чём-либо для доступного понимания.

прошедшее время : 설명하 + 였어요 → **설명했어요**
настоящее время : 설명하 + 여요 → **설명해요**
будущее время : 설명하 + ㄹ 거예요 → **설명할 거예요**

(245) 쓰다 [sseuda]

выписывать; вычерчивать

Писать определённые буквы на бумаге и т.д. с помощью ручки, карандаша и т.д.

прошедшее время : 쓰 + 었어요 → 썼어요
настоящее время : 쓰 + 어요 → 써요
будущее время : 쓰 + ㄹ 거예요 → 쓸 거예요

(246) 얘기하다 [yaegihada]

беседовать

Обмениваться мнениями с кем-либо; обсуждать что-либо с кем-либо.

прошедшее время : 얘기하 + 였어요 → 얘기했어요
настоящее время : 얘기하 + 여요 → 얘기해요
будущее время : 얘기하 + ㄹ 거예요 → 얘기할 거예요

(247) 읽다 [ikda]

читать

Воспринимать письменную речь по её значению.

прошедшее время : 읽 + 었어요 → 읽었어요
настоящее время : 읽 + 어요 → 읽어요
будущее время : 읽 + 을 거예요 → 읽을 거예요

(248) 질문하다 [jilmunhada]

задавать вопрос кому-либо; спрашивать кого о чём-либо; осведомляться о чём-либо; справляться о чём-либо

Спрашивать о чём-либо, чего не знаешь или что хочешь узнать.

прошедшее время : 질문하 + 였어요 → 질문했어요
настоящее время : 질문하 + 여요 → 질문해요
будущее время : 질문하 + ㄹ 거예요 → 질문할 거예요

(249) 칭찬하다 [chingchanhada]

хвалить

Высказывать одобрение, похвалу кому-либо, чему-либо.

прошедшее время : 칭찬하 + 였어요 → **칭찬했어요**
настоящее время : 칭찬하 + 여요 → **칭찬해요**
будущее время : 칭찬하 + ㄹ 거예요 → **칭찬할 거예요**

(250) 끊다 [kkeunta]

отключать

Прекратить разговор или обмен мыслями по телефону или интернету.

прошедшее время : 끊 + 었어요 → **끊었어요**
настоящее время : 끊 + 어요 → **끊어요**
будущее время : 끊 + 을 거예요 → **끊을 거예요**

(251) 부치다 [buchida]

отправлять; отсылать

Посылать куда-либо (о письме, предмете и т.п.).

прошедшее время : 부치 + 었어요 → **부쳤어요**
настоящее время : 부치 + 어요 → **부쳐요**
будущее время : 부치 + ㄹ 거예요 → **부칠 거예요**

(252) 줄이다 [jurida]

уменьшать

Делать меньше изначального размера (длину, ширину, объём какого-либо предмета).

прошедшее время : 줄이 + 었어요 → **줄였어요**
настоящее время : 줄이 + 어요 → **줄여요**
будущее время : 줄이 + ㄹ 거예요 → **줄일 거예요**

(253) 줄다 [julda]

сокращаться; уменьшаться; садиться

Становиться меньше изначального размера (о длине, ширине, объёме и т.п. предмета).

прошедшее время : 줄 + 었어요 → 줄었어요
настоящее время : 줄 + 어요 → 줄어요
будущее время : 줄 + ㄹ 거예요 → 줄 거예요

(254) 비다 [bida]

пустой; свободный

Не заполненный, не занятый кем-либо или чем-либо (о пространстве).

прошедшее время : 비 + 었어요 → 비었어요
настоящее время : 비 + 어요 → 비어요
будущее время : 비 + ㄹ 거예요 → 빌 거예요

(255) 모자라다 [mojarada]

недоставать; не хватать

Быть, иметься в меньшем, чем следует количестве.

прошедшее время : 모자라 + 았어요 → 모자랐어요
настоящее время : 모자라 + 아요 → 모자라요
будущее время : 모자라 + ㄹ 거예요 → 모자랄 거예요

(256) 늘다 [neulda]

увеличиваться; возрастать; расти; удлиняться

Приобретать более удлинённое и увеличенное состояние по сравнению с изначальным (о длине, ширине, объёме предметов и т.п.).

прошедшее время : 늘 + 었어요 → 늘었어요
настоящее время : 늘 + 어요 → 늘어요
будущее время : 늘 + ㄹ 거예요 → 늘 거예요

(257) 남다 [namda]

оставаться

Не быть потраченным до конца и быть оставленным.

прошедшее время : 남 + 았어요 → 남았어요
настоящее время : 남 + 아요 → 남아요
будущее время : 남 + 을 거예요 → 남을 거예요

(258) 남기다 [namgida]

оставлять; оставить

Не тратить до конца, оставлять.

прошедшее время : 남기 + 었어요 → 남겼어요
настоящее время : 남기 + 어요 → 남겨요
будущее время : 남기 + ㄹ 거예요 → 남길 거예요

(259) 오다 [oda]

нет эквивалента

Идти (о дожде, снеге и т. п.) или наступать (о холодах).

прошедшее время : 오 + 았어요 → 왔어요
настоящее время : 오 + 아요 → 와요
будущее время : 오 + ㄹ 거예요 → 올 거예요

(260) 불다 [bulda]

дуть

Поднявшись, двигаться в каком-либо направлении (о ветре).

прошедшее время : 불 + 었어요 → 불었어요
настоящее время : 불 + 어요 → 불어요
будущее время : 불 + ㄹ 거예요 → 불 거예요

(261) 내리다 [naerida]

идти

Падать (о снеге или дожде и т.п.).

прошедшее время : 내리 + 었어요 → 내렸어요
настоящее время : 내리 + 어요 → 내려요
будущее время : 내리 + ㄹ 거예요 → 내릴 거예요

(262) 그치다 [geuchida]

прекращаться; переставать; кончаться

Прекращаться (о каком-либо продолжавшемся деле, движении, явлении и т.п.).

прошедшее время : 그치 + 었어요 → 그쳤어요
настоящее время : 그치 + 어요 → 그쳐요
будущее время : 그치 + ㄹ 거예요 → 그칠 거예요

(263) 배우다 [baeuda]

выучить

Завладеть или обрести новые знания.

прошедшее время : 배우 + 었어요 → 배웠어요
настоящее время : 배우 + 어요 → 배워요
будущее время : 배우 + ㄹ 거예요 → 배울 거예요

(264) 가르치다 [gareuchida]

учить; обучать; преподавать

Объясняя, передавать кому-либо какие-либо знания, навыки и т.п.

прошедшее время : 가르치 + 었어요 → 가르쳤어요
настоящее время : 가르치 + 어요 → 가르쳐요
будущее время : 가르치 + ㄹ 거예요 → 가르칠 거예요

(265) 팔다 [palda]

продавать

Предоставлять усилия или же отдавать кому-либо что-либо или какое-либо право взамен за уплаченную цену.

прошедшее время : 팔 + 았어요 → **팔았어요**
настоящее время : 팔 + 아요 → **팔아요**
будущее время : 팔 + ㄹ 거예요 → **팔 거예요**

(266) 팔리다 [pallida]

продаваться

Прикладываться (об усилиях) или же отдаваться, передаваться кому-либо взамен уплаченной цены (о чём-либо или каком-либо праве).

прошедшее время : 팔리 + 었어요 → **팔렸어요**
настоящее время : 팔리 + 어요 → **팔려요**
будущее время : 팔리 + ㄹ 거예요 → **파릴 거예요**

(267) 올리다 [ollida]

поднимать; повышать

Повышать или увеличивать цену, показатели, тенденцию и т.п.

прошедшее время : 올리 + 었어요 → **올렸어요**
настоящее время : 올리 + 어요 → **올려요**
будущее время : 올리 + ㄹ 거예요 → **올릴 거예요**

(268) 사다 [sada]

покупать

Приобретать что-либо за деньги.

прошедшее время : 사 + 았어요 → **샀어요**
настоящее время : 사 + 아요 → **사요**
будущее время : 사 + ㄹ 거예요 → **살 거예요**

(269) 빌리다 [billida]

брать в долг (взаймы; напрокат); занимать

Использовать некоторое время какую-либо вещь другого или деньги, договорившись о возврате или заплатив за это соответствующую цену.

прошедшее время : 빌리 + 었어요 → 빌렸어요
настоящее время : 빌리 + 어요 → 빌려요
будущее время : 빌리 + ㄹ 거예요 → 빌릴 거예요

(270) 벌다 [beolda]

зарабатывать

Получать деньги за работу или копить их.

прошедшее время : 벌 + 었어요 → 벌었어요
настоящее время : 벌 + 어요 → 벌어요
будущее время : 벌 + ㄹ 거예요 → 벌 거예요

(271) 들다 [deulda]

тратиться; стоить

Использоваться для какого-либо дела (о деньгах, времени, усилии и т. п.).

прошедшее время : 들 + 었어요 → 들었어요
настоящее время : 들 + 어요 → 들어요
будущее время : 들 + ㄹ 거예요 → 들 거예요

(272) 깎다 [kkakda]

снизить; уменьшить; урезать

Уменьшить величину, сумму, степень и т.п.

прошедшее время : 깎 + 았어요 → 깎았어요
настоящее время : 깎 + 아요 → 깎아요
будущее время : 깎 + 을 거예요 → 깎을 거예요

(273) 갚다 [gapda]

возвращать

Отдавать обратно что-либо, взятое в долг.

прошедшее время : 갚 + 았어요 → 갚았어요
настоящее время : 갚 + 아요 → 갚아요
будущее время : 갚 + 을 거예요 → 갚을 거예요

(274) 통화하다 [tonghwahada]

звонить

Разговаривать по телефону.

прошедшее время : 통화하 + 였어요 → 통화했어요
настоящее время : 통화하 + 여요 → 통화해요
будущее время : 통화하 + ㄹ 거예요 → 통화할 거예요

(275) 교환하다 [gyohwanhada]

Менять, заменять

заменять, замещать одно другим.

прошедшее время : 교환하 + 였어요 → 교환했어요
настоящее время : 교환하 + 여요 → 교환해요
будущее время : 교환하 + ㄹ 거예요 → 교환할 거예요

(276) 배달하다 [baedalhada]

доставить

Принести и передать почту, товар, продукты питания и т.п.

прошедшее время : 배달하 + 였어요 → 배달했어요
настоящее время : 배달하 + 여요 → 배달해요
будущее время : 배달하 + ㄹ 거예요 → 배달할 거예요

(277) 선택하다 [seontaekada]

выбирать; избирать; отбирать

Выбрав из нескольких необходимое, отбирать.

прошедшее время : 선택하 + 였어요 → 선택했어요
настоящее время : 선택하 + 여요 → 선택해요
будущее время : 선택하 + ㄹ 거예요 → 선택할 거예요

(278) 할인하다 [harinhada]

делать скидку

Снижать определившуюся цену.

прошедшее время : 할인하 + 였어요 → 할인했어요
настоящее время : 할인하 + 여요 → 할인해요
будущее время : 할인하 + ㄹ 거예요 → 할인할 거예요

(279) 환전하다 [hwanjeonhada]

обменять валюту

Поменять сумму денег одного государства на соответствующую ей сумму денег другого государства.

прошедшее время : 환전하 + 였어요 → 환전했어요
настоящее время : 환전하 + 여요 → 환전해요
будущее время : 환전하 + ㄹ 거예요 → 환전할 거예요

(280) 결석하다 [gyeolseokada]

отсутствовать; не являться

Пропускать официальное место, школу, собрание.

прошедшее время : 결석하 + 였어요 → 결석했어요
настоящее время : 결석하 + 여요 → 결석해요
будущее время : 결석하 + ㄹ 거예요 → 결석할 거예요

(281) 공부하다 [gongbuhada]

учиться; обучаться; изучать; заниматься

Приобретать знания путём изучения наук или технологий.

прошедшее время : 공부하 + 였어요 → 공부했어요
настоящее время : 공부하 + 여요 → 공부해요
будущее время : 공부하 + ㄹ 거예요 → 공부할 거예요

(282) 교육하다 [gyoyukada]

Учить; преподавать; давать образование

обучать каким-либо знаниям, мастерству и т.п.

прошедшее время : 교육하 + 였어요 → 교육했어요
настоящее время : 교육하 + 여요 → 교육해요
будущее время : 교육하 + ㄹ 거예요 → 교육할 거예요

(283) 복습하다 [bokseupada]

повторять (пройденное)

Закреплять пройденный материал.

прошедшее время : 복습하 + 였어요 → 복습했어요
настоящее время : 복습하 + 여요 → 복습해요
будущее время : 복습하 + ㄹ 거예요 → 복습할 거예요

(284) 숙제하다 [sukjehada]

делать домашнее задание

Выполнять задание, полученное для выполнения после занятий с целью повторения школьниками пройденного или изучения нового материала.

прошедшее время : 숙제하 + 였어요 → 숙제했어요
настоящее время : 숙제하 + 여요 → 숙제해요
будущее время : 숙제하 + ㄹ 거예요 → 숙제할 거예요

(285) 연습하다 [yeonseupada]

упражняться; тренироваться; репетировать

В целях доведения до совершенства что-либо многократно по-настоящему повторять.

прошедшее время : 연습하 + 였어요 → 연습했어요
настоящее время : 연습하 + 여요 → 연습해요
будущее время : 연습하 + ㄹ 거예요 → 연습할 거예요

(286) 예습하다 [yeseupada]

заранее готовить уроки

Предварительно заниматься перед уроками.

прошедшее время : 예습하 + 였어요 → 예습했어요
настоящее время : 예습하 + 여요 → 예습해요
будущее время : 예습하 + ㄹ 거예요 → 예습할 거예요

(287) 입학하다 [ipakada]

поступать в учебное заведение; идти в школу

становиться учащимся и начинать учиться.

прошедшее время : 입학하 + 였어요 → 입학했어요
настоящее время : 입학하 + 여요 → 입학해요
будущее время : 입학하 + ㄹ 거예요 → 입학할 거예요

(288) 졸업하다 [joreopada]

заканчивать; завершать; оканчивать обучение

Проходить полный курс обучения, установленный в учебном заведении (об учащемся).

прошедшее время : 졸업하 + 였어요 → 졸업했어요
настоящее время : 졸업하 + 여요 → 졸업해요
будущее время : 졸업하 + ㄹ 거예요 → 졸업할 거예요

(289) 지각하다 [jigakada]

опаздывать

Выходить на работу или отправляться в школу позже установленного времени.

прошедшее время : 지각하 + 였어요 → 지각했어요
настоящее время : 지각하 + 여요 → 지각해요
будущее время : 지각하 + ㄹ 거예요 → 지각할 거예요

(290) 출석하다 [chulseokada]

присутствовать

Находиться, быть на занятии, собрании и т.п.

прошедшее время : 출석하 + 였어요 → 출석했어요
настоящее время : 출석하 + 여요 → 출석해요
будущее время : 출석하 + ㄹ 거예요 → 출석할 거예요

한국어(корейский язык)

형용사(имя прилагательное) 137

(1) 고프다 [gopeuda]

голодный; проголодавшийся

Имеющий желание поесть из-за пустоты в желудке.

배가 고파요.

baega gopayo.

배+가 고프(고ㅍ)+아요.
고파요

배 : живот; утроба; брюхо; желудок
가 : Окончание, указывающее на объект какой-либо ситуации, состояния или на лицо, выполняющее какое-либо действие.
고프다 : голодный; проголодавшийся
-아요 : (нейтрально-вежливый стиль) Финитное окончание предиката в повествовательном, вопросительном или побудительном предложении. <изложение>

(2) 부르다 [bureuda]

сытый

Имеющий чувство наполненного желудка.

배가 불러요.

baega bulleoyo.

배+가 부르(불ㄹ)+어요.
불러요

배 : живот; утроба; брюхо; желудок
가 : Окончание, указывающее на объект какой-либо ситуации, состояния или на лицо, выполняющее какое-либо действие.
부르다 : сытый
-어요 : (нейтрально-вежливый стиль) Финитное окончание предиката в повествовательном, вопросительном или побудительном предложении. <изложение>

(3) 아프다 [apeuda]

болеть

Чувствовать боль или мучение в результате полученной травмы или заболевания.

목이 아파요.

mogi apayo.

목+이 아프(아ㅍ)+아요.

아파요

목 : шея

이 : Частица, показывающая какое-либо состояние, объект ситуации или субъект действия.

아프다 : болеть

-아요 : (нейтрально-вежливый стиль) Финитное окончание предиката в повествовательном, вопросительном или побудительном предложении. <изложение>

(4) 고맙다 [gomapda]

благодарный

Чувствующий признательность за оказанное ему добро, выражающий признательность.

도와줘서 고마워요.

dowajwoseo gomawoyo.

도와주+어서 고맙(고마우)+어요.

고마워요

도와주다 : помогать

-어서 : Соединительное окончание предиката, указывающее на причину или обоснование чего-либо.

고맙다 : благодарный

-어요 : (нейтрально-вежливый стиль) Финитное окончание предиката в повествовательном, вопросительном или побудительном предложении. <изложение>

(5) 괜찮다 [gwaenchanta]

хороший; приятный; милый; славный

Очень хороший.

맛이 괜찮아요.

masi gwaenchanayo.

맛+이 괜찮+아요.

맛 : вкус
이 : Частица, показывающая какое-либо состояние, объект ситуации или субъект действия.
괜찮다 : хороший; приятный; милый; славный
-아요 : (нейтрально-вежливый стиль) Финитное окончание предиката в повествовательном, вопросительном или побудительном предложении. <изложение>

(6) 귀엽다 [gwiyeopda]

милый; симпатичный

На вид красивый и миловидный.

얼굴이 귀여워요.

eolguri gwiyeowoyo.

얼굴+이 귀엽(귀여우)+어요.
귀여워요

얼굴 : черты лица; лицо
이 : Частица, показывающая какое-либо состояние, объект ситуации или субъект действия.
귀엽다 : милый; симпатичный
-어요 : (нейтрально-вежливый стиль) Финитное окончание предиката в повествовательном, вопросительном или побудительном предложении. <изложение>

(7) 귀찮다 [gwichanta]

надоевший; надоедливый

Неприятный и надоедающий.

씻기가 귀찮아요.

ssitgiga gwichanayo.

씻+기+가 귀찮+아요.

씻다 : мыть; стирать; вытирать; смывать начисто
-기 : Окончание, позволяющее впередистоящему слову или выражению выполнять функцию имени существительного.
가 : Окончание, указывающее на объект какой-либо ситуации, состояния или на лицо, выполняющее какое-либо действие.
귀찮다 : надоевший; надоедливый
-아요 : (нейтрально-вежливый стиль) Финитное окончание предиката в повествовательном, вопросительном или побудительном предложении. <изложение>

(8) 그립다 [geuripda]

Недостающий

такой, по кому скучают; такое, что хочется видеть.

가족이 그리워요.

gajogi geuriwoyo.

가족+이 그립(그리우)+어요.
그리워요

가족 : семья
이 : Частица, показывающая какое-либо состояние, объект ситуации или субъект действия.
그립다 : Недостающий
-어요 : (нейтрально-вежливый стиль) Финитное окончание предиката в повествовательном, вопросительном или побудительном предложении. <изложение>

(9) 기쁘다 [gippeuda]

радоваться

Испытывать хорошее настроение, чувство удовольствия, душевное удовлетворение.

시험에 합격해서 기뻐요.

siheome hapgyeokaeseo gippeoyo.

시험+에 합격하+여서 기쁘(기ㅃ)+어요.
기뻐요

시험 : экзамен; испытание; проба
에 : Окончание, указывающее на объект какого-либо действия, чувства и т.п.
합격하다 : сдать; пройти (экзамен)
-여서 : Соединительное окончание предиката, указывающее на причину или обоснование чего-либо.
기쁘다 : радоваться
-어요 : (нейтрально-вежливый стиль) Финитное окончание предиката в повествовательном, вопросительном или побудительном предложении. <изложение>

(10) 답답하다 [dapdapada]

душный

Чувствовать тяжесть на душе, испытывать трудности в дыхании.

가슴이 답답해요.

gaseumi dapdapaeyo.

가슴+이 답답하+여요.
답답해요

가슴 : сердце
이 : Частица, показывающая какое-либо состояние, объект ситуации или субъект действия.
답답하다 : душный
-여요 : (нейтрально-вежливый стиль) Финитное окончание предиката в повествовательном, вопросительном или побудительном предложении. <изложение>

(11) 무섭다 [museopda]

страшный

Внушающий чувство страха при возникновении чего-либо.

귀신이 무서워요.

gwisini museowoyo.

귀신+이 무섭(무서우)+어요.
무서워요

귀신 : нечистая сила; нечисть
이 : Частица, показывающая какое-либо состояние, объект ситуации или субъект действия.
무섭다 : страшный
-어요 : (нейтрально-вежливый стиль) Финитное окончание предиката в повествовательном, вопросительном или побудительном предложении. <изложение>

(12) 반갑다 [bangapda]

приятный; радостный; радушный

Быть весёлым и радостным из-за встречи с человеком, с которым давно не виделся, или удачно осуществлённой работы.

만나게 되어 반가워요.

mannage doeeo bangawoyo.

만나+[게 되]+어 반갑(반가우)+어요.
반가워요

만나다 : встречаться
-게 되다 : Выражение, указывающее на возникновение некой ситуации или достижение какого-либо состояния.
-어 : Соединительное окончание, указывающее на то, что действие первой части предложения является причиной или основанием действия, описанного во второй части предложения.
반갑다 : приятный; радостный; радушный
-어요 : (нейтрально-вежливый стиль) Финитное окончание предиката в повествовательном, вопросительном или побудительном предложении. <изложение>

(13) 부끄럽다 [bukkeureopda]

постыдный; стеснительный

Застенчивый или стыдливый.

칭찬해 주시니 부끄러워요.

chingchanhae jusini bukkeureowoyo.

칭찬하+[여 주]+시+니 부끄럽(부끄러우)+어요.

칭찬해 주시니 부끄러워요

칭찬하다 : хвалить
-여 주다 : Выражение, указывающее на то, что описанное действие выполняется в интересах другого лица.
-시- : Гонорифический глагольный суффикс, указывающий на почтительное отношение к субъекту какого-либо состояния или действия.
-니 : Соединительное окончание, указывающее на то, что содержание первой части предложения является причиной, обоснованием, предпосылкой того, о чём говорится во второй части предложения.
부끄럽다 : постыдный; стеснительный
-어요 : (нейтрально-вежливый стиль) Финитное окончание предиката в повествовательном, вопросительном или побудительном предложении. <изложение>

(14) 부럽다 [bureopda]

завидовать

Иметь чувство зависти по отношению к чьей-либо ситуации или чему-либо, что есть у кого-либо другого и желать себе того же.

한국어 잘하는 사람이 부러워요.

hangugeo jalhaneun sarami bureowoyo.

한국어 잘하+는 사람+이 부럽(부러우)+어요.

부러워요

한국어 : корейский язык
잘하다 : хорошо делать; быть умелым; быть искусным; быть способным
-는 : Окончание, которое указывает на действие или событие в настоящем, преобразуя впередистоящее слово, словосочетание или придаточное предложение в определение.

사람 : человек
이 : Частица, показывающая какое-либо состояние, объект ситуации или субъект действия.
부럽다 : завидовать
-어요 : (нейтрально-вежливый стиль) Финитное окончание предиката в повествовательном, вопросительном или побудительном предложении. <изложение>

(15) 불쌍하다 [bulssanghada]

жалостливый; жалостный; несчастный; вызывающий жалость; жалкий

Очень несчастный, вызывающий печаль из-за тяжёлого положения, ситуации.

주인을 잃은 강아지가 불쌍해요.
juineul ireun gangajiga bulssanghaeyo.

주인+을 잃+은 강아지+가 불쌍하+여요.
불쌍해요

주인 : хозяин
을 : Частица, указывающая на объект, на который действие оказывает непосредственное влияние.
잃다 : [по]терять; лишиться
-은 : Окончание, которое указывает на сохранившийся результат совершённого действия, преобразуя впередистоящее слово, словосочетание или придаточное предложение в определение.
강아지 : щенок
가 : Окончание, указывающее на объект какой-либо ситуации, состояния или на лицо, выполняющее какое-либо действие.
불쌍하다 : жалостливый; жалостный; несчастный; вызывающий жалость; жалкий
-여요 : (нейтрально-вежливый стиль) Финитное окончание предиката в повествовательном, вопросительном или побудительном предложении. <изложение>

(16) 섭섭하다 [seopseopada]

нет эквивалента

Обидно, досадно, быть недовольным.

선생님과 헤어지기가 섭섭해요.
seonsaengnimgwa heeojigiga seopseopaeyo.

선생님+과 헤어지+기+가 섭섭하+여요.
섭섭해요

선생님 : учитель; преподаватель
과 : Частица, указывающая на то, что слово является объектом по отношению к кому-либо в каком-либо деле.
헤어지다 : расставаться; разлучаться; расходиться
-기 : Окончание, позволяющее впередистоящему слову или выражению выполнять функцию имени существительного.
가 : Окончание, указывающее на объект какой-либо ситуации, состояния или на лицо, выполняющее какое-либо действие.
섭섭하다 : Обидно, досадно, быть недовольным.
-여요 : (нейтрально-вежливый стиль) Финитное окончание предиката в повествовательном, вопросительном или побудительном предложении. <изложение>

(17) 소중하다 [sojunghada]

дорогой; драгоценный

Очень дорогой (важный).

가족이 가장 소중해요.
gajogi gajang sojunghaeyo.

가족+이 가장 소중하+여요.
소중해요

가족 : семья
이 : Частица, показывающая какое-либо состояние, объект ситуации или субъект действия.
가장 : самый; наиболее
소중하다 : дорогой; драгоценный
-여요 : (нейтрально-вежливый стиль) Финитное окончание предиката в повествовательном, вопросительном или побудительном предложении. <изложение>

(18) 슬프다 [seulpeuda]

печальный; грустный; скорбный; горестный

До слёз полный грусти, вызывающий грустное настроение.

영화의 내용이 슬퍼요.

yeonghwae naeyongi seulpeoyo.

영화+의 내용+이 슬프(슬ㅍ)+어요.
슬퍼요

영화 : кино; фильм; кинофильм
의 : Частица, указывающая на то, что в предыдущем слове содержится значение собственности, принадлежности, сырья, источника, основы в отношении последующего.
내용 : содержание
이 : Частица, показывающая какое-либо состояние, объект ситуации или субъект действия.
슬프다 : печальный; грустный; скорбный; горестный
-어요 : (нейтрально-вежливый стиль) Финитное окончание предиката в повествовательном, вопросительном или побудительном предложении. <изложение>

(19) 시원하다 [siwonhada]

прохладный

Не холодный и не жаркий, а умеренно прохладный.

바람이 시원해요.

barami siwonhaeyo.

바람+이 시원하+여요.
시원해요

바람 : воздух
이 : Частица, показывающая какое-либо состояние, объект ситуации или субъект действия.
시원하다 : прохладный
-여요 : (нейтрально-вежливый стиль) Финитное окончание предиката в повествовательном, вопросительном или побудительном предложении. <изложение>

(20) 싫다 [silta]

не любить; быть не по душе

Испытывать неприятные чувства по отношению к чему-либо.

매운 음식이 싫어요.

maeun eumsigi sireoyo.

맵(매우)+ㄴ 음식+이 싫+어요.
매운

맵다 : острый; пикантный
-ㄴ : Окончание, указывающее на состояние лица или предмета в настоящий момент, при котором впередистоящее слово, словосочетание или придаточное предложение выполняет функцию определения.
음식 : пища
이 : Частица, показывающая какое-либо состояние, объект ситуации или субъект действия.
싫다 : не любить; быть не по душе
-어요 : (нейтрально-вежливый стиль) Финитное окончание предиката в повествовательном, вопросительном или побудительном предложении. <изложение>

(21) 외롭다 [oeropda]

Одинокий

оставшийся в одиночестве; или не имеющий никого, на кого можно положиться или опереться.

지금 몹시 외로워요.

jigeum mopsi oerowoyo.

지금 몹시 외롭(외로우)+어요.
외로워요

지금 : сейчас; в это время
몹시 : чрезвычайно; сильно; очень; крайне; чрезмерно; ужасно
외롭다 : Одинокий
-어요 : (нейтрально-вежливый стиль) Финитное окончание предиката в повествовательном, вопросительном или побудительном предложении. <изложение>

(22) 좋다 [jota]

хороший; отличный

Обладающий выдающимся и удовлетворительным качеством или содержанием чего-либо и т.п.

이 물건은 품질이 좋아요.
i mulgeoneun pumjiri joayo.

이 물건+은 품질+이 좋+아요.

이 : этот; это
물건 : вещь; предмет
은 : Частица, показывающая то, что какой-то объект является главной темой в предложении.
품질 : качество
이 : Частица, показывающая какое-либо состояние, объект ситуации или субъект действия.
좋다 : хороший; отличный
-아요 : (нейтрально-вежливый стиль) Финитное окончание предиката в повествовательном, вопросительном или побудительном предложении. <изложение>

(23) 죄송하다 [joesonghada]

извиняться

Приносить кому-либо извинения за совершённый проступок.

늦어서 죄송해요.
neujeoseo joesonghaeyo.

늦+어서 죄송하+여요.
죄송해요

늦다 : запаздывать; опаздывать
-어서 : Соединительное окончание предиката, указывающее на причину или обоснование чего-либо.
죄송하다 : извиняться
-여요 : (нейтрально-вежливый стиль) Финитное окончание предиката в повествовательном, вопросительном или побудительном предложении. <изложение>

(24) 즐겁다 [jeulgeopda]

весёлый; довольный; радостный; приятный

Нравящийся, довольный и радостный.

여행은 언제나 즐거워요.

yeohaengeun eonjena jeulgeowoyo.

여행+은 언제나 즐겁(즐거우)+어요.

즐거워요

여행 : путешествие; поездка

은 : Частица, показывающая то, что какой-то объект является главной темой в предложении.

언제나 : всегда; без изменений

즐겁다 : весёлый; довольный; радостный; приятный

-어요 : (нейтрально-вежливый стиль) Финитное окончание предиката в повествовательном, вопросительном или побудительном предложении. <изложение>

(25) 급하다 [geupada]

срочный

Находящийся в ситуации, когда необходимо быстро справиться с положением или ситуацией.

갑자기 급한 일이 생겼어요.

gapjagi geupan iri saenggyeosseoyo.

갑자기 급하+ㄴ 일+이 생기+었+어요.

급한 생겼어요

갑자기 : внезапно; вдруг

급하다 : срочный

-ㄴ : Окончание, указывающее на состояние лица или предмета в настоящий момент, при котором впередистоящее слово, словосочетание или придаточное предложение выполняет функцию определения.

일 : дело; инцидент

이 : Частица, показывающая какое-либо состояние, объект ситуации или субъект действия.

생기다 : происходить; случаться; возникать; появляться
-었- : Окончание, указывающее на полное завершение какого-либо события в прошлом и сохранения данного результата до настоящего времени.
-어요 : (нейтрально-вежливый стиль) Финитное окончание предиката в повествовательном, вопросительном или побудительном предложении. <изложение>

(26) 조용하다 [joyonghada]

молчаливый; бессловесный; безмолвный; тихий

Малословный и имеющий пристойное поведение.

도서관에서는 조용하게 말하세요.
doseogwaneseoneun joyonghage malhaseyo.

도서관+에서+는 조용하+게 말하+세요.

도서관 : библиотека
에서 : Окончание, указывающее на место, где происходит указанное действие.
는 : Частица, указывающая на то, что какой-либо объект является основной темой в предложении.
조용하다 : молчаливый; бессловесный; безмолвный; тихий
-게 : Соединительное окончание предиката, указывающее на то, описанное в первой части предложения действие или состояние является целью, результатом, образом действия, степенью и т.п. того, о чём говорится в последующей главной части предложения.
말하다 : говорить
-세요 : (нейтрально-вежливый стиль) Финитное окончание предиката в повествовательном, вопросительном или побудительном предложении. <приказ>

(27) 곧다 [gotda]

прямой; ровный; правильный

Не имеющий резких утолщений, не имеющий изгибов, искривлений (о дороге, линии, положении и т.п.).

허리를 곧게 펴세요.
heorireul gotge pyeoseyo.

허리+를 곧+게 펴+세요.

허리 : поясница; талия; пояс
를 : Частица, указывающая на объект, на который непосредственно распространяется влияние действия.
곧다 : прямой; ровный; правильный
-게 : Соединительное окончание предиката, указывающее на то, описанное в первой части предложения действие или состояние является целью, результатом, образом действия, степенью и т.п. того, о чём говорится в последующей главной части предложения.
펴다 : распрямлять; выпрямлять
-세요 : (нейтрально-вежливый стиль) Финитное окончание предиката в повествовательном, вопросительном или побудительном предложении. <приказ>

(28) 까다롭다 [kkadaropda]

трудный; сложный (об условиях, методе, обстановке); хлопотный

Запутанный и сложный, трудный для исполнения.

이 문제는 까다로워요.
i munjeneun kkadarowoyo.

이 문제+는 까다롭(까다로우)+어요.
까따로워요

이 : этот; это
문제 : вопрос
는 : Частица, указывающая на то, что какой-либо объект является основной темой в предложении.
까다롭다 : трудный; сложный (об условиях, методе, обстановке); хлопотный
-어요 : (нейтрально-вежливый стиль) Финитное окончание предиката в повествовательном, вопросительном или побудительном предложении. <изложение>

(29) 깔끔하다 [kkalkkeumhada]

опрятный; чистый; аккуратный

Приятный для вида, не испачканный (о внешнем виде).

방이 아주 깔끔해요.
bangi aju kkalkkeumhaeyo.

방+이 아주 깔끔하+여요.
깔끔해요

방 : комната; помещение
이 : Частица, показывающая какое-либо состояние, объект ситуации или субъект действия.
아주 : очень
깔끔하다 : опрятный; чистый; аккуратный
-여요 : (нейтрально-вежливый стиль) Финитное окончание предиката в повествовательном, вопросительном или побудительном предложении. <изложение>

(30) 냉정하다 [naengjeonghada]

хладнокровный

Холодный, не имеющий душевной теплоты.

성격이 냉정해요.
seonggyeogi naengjeonghaeyo.

성격+이 냉정하+여요.
냉정해요

성격 : характер
이 : Частица, показывающая какое-либо состояние, объект ситуации или субъект действия.
냉정하다 : хладнокровный
-여요 : (нейтрально-вежливый стиль) Финитное окончание предиката в повествовательном, вопросительном или побудительном предложении. <изложение>

(31) 너그럽다 [neogeureopda]

благородный; великодушный

Не жадный или не скупой, хорошо понимающий ситуацию других.

마음이 너그러워요.
maeumi neogeureowoyo.

마음+이 너그럽(너그러우)+어요.
너그러워요

마음 : чувство; настроение
이 : Частица, показывающая какое-либо состояние, объект ситуации или субъект действия.
너그럽다 : благородный; великодушный
-어요 : (нейтрально-вежливый стиль) Финитное окончание предиката в повествовательном, вопросительном или побудительном предложении. <изложение>

(32) 느긋하다 [neugeutada]

неторопливый; медленный

Неспешный, с чувством спокойствия на душе.

숙제를 끝내서 마음이 느긋해요.
sukjereul kkeunnaeseo maeumi neugeutaeyo.

숙제+를 끝내+어서 마음+이 느긋하+여요.
끝내서 **느긋해요**

숙제 : домашнее задание
를 : Частица, указывающая на объект, на который непосредственно распространяется влияние действия.
끝내다 : заканчивать; кончать; завершать
-어서 : Соединительное окончание предиката, указывающее на причину или обоснование чего-либо.
마음 : чувство; настроение
이 : Частица, показывающая какое-либо состояние, объект ситуации или субъект действия.
느긋하다 : неторопливый; медленный
-여요 : (нейтрально-вежливый стиль) Финитное окончание предиката в повествовательном, вопросительном или побудительном предложении. <изложение>

(33) 다정하다 [dajeonghada]

нежный; любящий; ласковый

Благожелательный и проявляющий любовь.

아버지는 가족들에게 무척 다정해요.

abeojineun gajokdeurege mucheok dajeonghaeyo.

아버지+는 가족+들+에게 무척 다정하+여요.
다정해요

아버지 : папа; отец; батя
는 : Частица, указывающая на то, что какой-либо объект является основной темой в предложении.
가족 : семья
들 : Суффикс со значением множественного числа.
에게 : Окончание, указывающее на предмет, подвергающийся влиянию какого-либо действия.
무척 : несравнимо; очень; крайне; весьма
다정하다 : нежный; любящий; ласковый
-여요 : (нейтрально-вежливый стиль) Финитное окончание предиката в повествовательном, вопросительном или побудительном предложении. <изложение>

(34) 못되다 [motdoeda]

скверный; невоспитанный

Безнравственный, плохой (о характере, поступках).

동생은 못된 버릇이 있어요.

dongsaengeun motdoen beoreusi isseoyo.

동생+은 못되+ㄴ 버릇+이 있+어요.
못된

동생 : младший брат или сестра
은 : Частица, показывающая то, что какой-то объект является главной темой в предложении.
못되다 : скверный; невоспитанный
-ㄴ : Окончание, указывающее на состояние лица или предмета в настоящий момент,

при котором впередистоящее слово, словосочетание или придаточное предложение выполняет функцию определения.

버릇 : привычка; склонность

이 : Частица, показывающая какое-либо состояние, объект ситуации или субъект действия.

있다 : Иметь, обладать, владеть.

-어요 : (нейтрально-вежливый стиль) Финитное окончание предиката в повествовательном, вопросительном или побудительном предложении. <изложение>

(35) 변덕스럽다 [byeondeokseureopda]

непостоянный

Часто меняющийся (о словах, поступках, чувствах, погоде и т.п.).

요즘 날씨가 변덕스러워요.

yojeum nalssiga byeondeokseureowoyo.

요즘 날씨+가 변덕스럽(변덕스러우)+어요.

변덕스러워요

요즘 : в последнее время; недавно; на днях

날씨 : погода

가 : Окончание, указывающее на объект какой-либо ситуации, состояния или на лицо, выполняющее какое-либо действие.

변덕스럽다 : непостоянный

-어요 : (нейтрально-вежливый стиль) Финитное окончание предиката в повествовательном, вопросительном или побудительном предложении. <изложение>

(36) 솔직하다 [soljikada]

искренний; откровенный

Без лжи или естественный.

묻는 말에 솔직하게 대답하세요.

munneun mare soljikage daedapaseyo.

묻+는 말+에 솔직하+게 대답하+세요.

묻다 : спрашивать; вопрошать; задавать вопрос
-는 : Окончание, которое указывает на действие или событие в настоящем, преобразуя впередистоящее слово, словосочетание или придаточное предложение в определение.
말 : речь
에 : Окончание, указывающее на объект какого-либо действия, чувства и т.п.
솔직하다 : искренний; откровенный
-게 : Соединительное окончание предиката, указывающее на то, описанное в первой части предложения действие или состояние является целью, результатом, образом действия, степенью и т.п. того, о чём говорится в последующей главной части предложения.
대답하다 : отвечать
-세요 : (нейтрально-вежливый стиль) Финитное окончание предиката в повествовательном, вопросительном или побудительном предложении. <приказ>

(37) 순수하다 [sunsuhada]

чистый; искренний

Не имеющий личного желания или злых помыслов.

순수하게 세상을 살고 싶어요.
sunsuhage sesangeul salgo sipeoyo.

순수하+게 세상+을 살+[고 싶]+어요.

순수하다 : чистый; искренний
-게 : Соединительное окончание предиката, указывающее на то, описанное в первой части предложения действие или состояние является целью, результатом, образом действия, степенью и т.п. того, о чём говорится в последующей главной части предложения.
세상 : мир; свет
을 : Частица, указывающая на объект, на который действие оказывает непосредственное влияние.
살다 : жить
-고 싶다 : Выражение, указывающее на желание говорящего совершить какое-либо действие.
-어요 : (нейтрально-вежливый стиль) Финитное окончание предиката в повествовательном, вопросительном или побудительном предложении. <изложение>

(38) 순진하다 [sunjinhada]

искренний; бесхитростный

Чуждый хитрости, лукавства; прямодушный.

그 사람은 어린아이처럼 순진해요.
geu sarameun eorinaicheoreom sunjinhaeyo.

그 사람+은 어린아이+처럼 순진하+여요.
순진해요

그 : тот
사람 : человек
은 : Частица, показывающая то, что какой-то объект является главной темой в предложении.
어린아이 : ребёнок; дитя
처럼 : Окончание, указывающее на схожесть или одинаковость чего-либо между собой.
순진하다 : искренний; бесхитростный
-여요 : (нейтрально-вежливый стиль) Финитное окончание предиката в повествовательном, вопросительном или побудительном предложении. <изложение>

(39) 순하다 [sunhada]

мягкий; добрый; кроткий

Добродушный, приятный, нежный (о качестве, поведении и т.п.).

아이가 성격이 순해요.
aiga seonggyeogi sunhaeyo.

아이+가 성격+이 순하+여요.
순해요

아이 : ребёнок
가 : Окончание, указывающее на объект какой-либо ситуации, состояния или на лицо, выполняющее какое-либо действие.
성격 : характер
이 : Частица, показывающая какое-либо состояние, объект ситуации или субъект действия.
순하다 : мягкий; добрый; кроткий

-여요 : (нейтрально-вежливый стиль) Финитное окончание предиката в повествовательном, вопросительном или побудительном предложении. <изложение>

(40) 활발하다 [hwalbalhada]

активный; живой; оживлённый

Наполненный жизненной энергией.

나는 활발한 사람이 좋아요.

naneun hwalbalhan sarami joayo.

나+는 활발하+ㄴ 사람+이 좋+아요.
활발한

나 : я
는 : Частица, указывающая на то, что какой-либо объект является основной темой в предложении.
활발하다 : активный; живой; оживлённый
-ㄴ : Окончание, указывающее на состояние лица или предмета в настоящий момент, при котором впередистоящее слово, словосочетание или придаточное предложение выполняет функцию определения.
사람 : человек
이 : Частица, показывающая какое-либо состояние, объект ситуации или субъект действия.
좋다 : Приходящийся по душе, удовлетворительный (о каком-либо деле или объекте).
-아요 : (нейтрально-вежливый стиль) Финитное окончание предиката в повествовательном, вопросительном или побудительном предложении. <изложение>

(41) 게으르다 [geeureuda]

ленивый; нерадивый

Медлительный, не любящий двигаться или работать.

게으른 사람은 성공하지 못해요.

geeureun sarameun seonggonghaji motaeyo.

게으르+ㄴ 사람+은 성공하+[지 못하]+여요.
게으른 성공하지 못해요

게으르다 : ленивый; нерадивый
-ㄴ : Окончание, указывающее на состояние лица или предмета в настоящий момент, при котором впередистоящее слово, словосочетание или придаточное предложение выполняет функцию определения.
사람 : человек
은 : Частица, показывающая то, что какой-то объект является главной темой в предложении.
성공하다 : добиваться успеха; удаваться
-지 못하다 : Выражение, указывающее на неспособность совершить какое-либо действие или на отсутствие возможности выполнить что-либо согласно желанию субъекта.
-여요 : (нейтрально-вежливый стиль) Финитное окончание предиката в повествовательном, вопросительном или побудительном предложении. <изложение>

(42) 부지런하다 [bujireonhada]

прилежный; упорный

Имеющий склонность к проявлению усердия и упорства в работе.

<u>부지런한</u> 사람이 성공할 수 있어요.
bujireonhan sarami seonggonghal su isseoyo.

<u>부지런하+ㄴ</u> 사람+이 <u>성공하+[ㄹ 수 있]+어요</u>.
부지런한 성공할 수 있어요

부지런하다 : прилежный; упорный
-ㄴ : Окончание, указывающее на состояние лица или предмета в настоящий момент, при котором впередистоящее слово, словосочетание или придаточное предложение выполняет функцию определения.
사람 : человек
이 : Частица, показывающая какое-либо состояние, объект ситуации или субъект действия.
성공하다 : добиваться успеха; удаваться
-ㄹ 수 있다 : Выражение, указывающее на возможность осуществления какого-либо действия или состояния.
-어요 : (нейтрально-вежливый стиль) Финитное окончание предиката в повествовательном, вопросительном или побудительном предложении. <изложение>

(43) 착하다 [chakada]

добрый; добродушный; добросердечный; добродетельный; благодушный

Хороший, ласковый, приветливый (о душе, поступках и т.п.).

그녀는 마음씨가 착해요.

geunyeoneun maeumssiga chakaeyo.

그녀+는 마음씨+가 착하+여요.

착해요

그녀 : она
는 : Частица, указывающая на то, что какой-либо объект является основной темой в предложении.
마음씨 : душа; нрав
가 : Окончание, указывающее на объект какой-либо ситуации, состояния или на лицо, выполняющее какое-либо действие.
착하다 : добрый; добродушный; добросердечный; добродетельный; благодушный
-여요 : (нейтрально-вежливый стиль) Финитное окончание предиката в повествовательном, вопросительном или побудительном предложении. <изложение>

(44) 친절하다 [chinjeolhada]

вежливый; добрый

Мягкий, обходителный в поведении с людьми.

가게 주인은 모든 손님에게 친절해요.

gage juineun modeun sonnimege chinjeolhaeyo.

가게 주인+은 모든 손님+에게 친절하+여요.

친절해요

가게 : магазин; лавка; ларек
주인 : хозяин
은 : Частица, показывающая то, что какой-то объект является главной темой в предложении.
모든 : все; весь; вся; всё

손님 : клиент
에게 : Окончание, указывающее на предмет, подвергающийся влиянию какого-либо действия.
친절하다 : вежливый; добрый
-여요 : (нейтрально-вежливый стиль) Финитное окончание предиката в повествовательном, вопросительном или побудительном предложении. <изложение>

(45) 날씬하다 [nalssinhada]

тонкий; стройный

Тонкое и удлиненное тело, на которое приятно смотреть.

모델은 몸매가 날씬해요.
modereun mommaega nalssinhaeyo.

모델+은 몸매+가 날씬하+여요.
날씬해요

모델 : модель
은 : Частица, показывающая то, что какой-то объект является главной темой в предложении.
몸매 : телосложение; фигура
가 : Окончание, указывающее на объект какой-либо ситуации, состояния или на лицо, выполняющее какое-либо действие.
날씬하다 : тонкий; стройный
-여요 : (нейтрально-вежливый стиль) Финитное окончание предиката в повествовательном, вопросительном или побудительном предложении. <изложение>

(46) 뚱뚱하다 [ttungttunghada]

полный; пухлый; толстый

Становиться полным.

요즘은 뚱뚱한 청소년이 많아졌어요.
yojeumeun ttungttunghan cheongsonyeoni manajeosseoyo.

요즘+은 뚱뚱하+ㄴ 청소년+이 많아지+었+어요.
뚱뚱한 많아졌어요

요즘 : в последнее время; недавно; на днях
은 : Частица, показывающая то, что какой-то объект является главной темой в предложении.
뚱뚱하다 : полный; пухлый; толстый
-ㄴ : Окончание, указывающее на состояние лица или предмета в настоящий момент, при котором впередистоящее слово, словосочетание или придаточное предложение выполняет функцию определения.
청소년 : подросток; несовершеннолетний ребёнок
이 : Частица, показывающая какое-либо состояние, объект ситуации или субъект действия.
많아지다 : увеличиваться; становиться больше
-었- : Окончание, указывающее на полное завершение какого-либо события в прошлом и сохранения данного результата до настоящего времени.
-어요 : (нейтрально-вежливый стиль) Финитное окончание предиката в повествовательном, вопросительном или побудительном предложении. <изложение>

(47) 아름답다 [areumdapda]

красивый; прекрасный; приятный; чудесный; чудный

Качество виднеющегося объекта, голоса, цвета и прочего, что может удовлетворить и доставить радость слуху и зрению.

여기 경치가 무척 아름다워요.
yeogi gyeongchiga mucheok areumdawoyo.

여기 경치+가 무척 아름답(아름다우)+어요.
아름다워요

여기 : здесь; тут; в этом месте
경치 : пейзаж
가 : Окончание, указывающее на объект какой-либо ситуации, состояния или на лицо, выполняющее какое-либо действие.
무척 : несравнимо; очень; крайне; весьма
아름답다 : красивый; прекрасный; приятный; чудесный; чудный
-어요 : (нейтрально-вежливый стиль) Финитное окончание предиката в повествовательном, вопросительном или побудительном предложении. <изложение>

(48) 어리다 [eorida]

маленький; малолетний

Имеющий мало лет от роду.

내 동생은 아직 어려요.

nae dongsaengeun ajik eoryeoyo.

나+의 동생+은 아직 어리+어요.
내 어려요

나 : я
의 : Частица, указывающая на то, что в предыдущем слове содержится значение собственности, принадлежности, сырья, источника, основы в отношении последующего.
동생 : младший брат или сестра
은 : Частица, показывающая то, что какой-то объект является главной темой в предложении.
아직 : пока что; ещё; пока
어리다 : маленький; малолетний
-어요 : (нейтрально-вежливый стиль) Финитное окончание предиката в повествовательном, вопросительном или побудительном предложении. <изложение>

(49) 예쁘다 [yeppeuda]

красивый

Приятный на вид (о внешнем виде).

구름이 참 예뻐요.

gureumi cham yeppeoyo.

구름+이 참 예쁘(예ㅃ)+어요.
예뻐요

구름 : облако; облачко
이 : Частица, показывающая какое-либо состояние, объект ситуации или субъект действия.
참 : истинно; правдиво; справедливо; реалистично; откровенно
예쁘다 : красивый

-어요 : (нейтрально-вежливый стиль) Финитное окончание предиката в повествовательном, вопросительном или побудительном предложении. <изложение>

(50) 젊다 [jeomda]

молодой

Находящийся в самом расцвете сил.

이 회사에는 젊은 사람들이 많아요.

i hoesaeneun jeolmeun saramdeuri manayo.

이 회사+에+는 젊+은 사람+들+이 많+아요.

이 : этот; это
회사 : компания; предприятие
에 : Окончание, указывающее на какое-либо место или пространство.
는 : Частица, указывающая на то, что какой-либо объект является основной темой в предложении.
젊다 : молодой
-은 : Окончание, которое указывает на состояние лица или предмета в настоящем, преобразуя впередистоящее слово, словосочетание или придаточное предложение в определение.
사람 : человек
들 : Суффикс со значением множественного числа.
이 : Частица, показывающая какое-либо состояние, объект ситуации или субъект действия.
많다 : много
-아요 : (нейтрально-вежливый стиль) Финитное окончание предиката в повествовательном, вопросительном или побудительном предложении. <изложение>

(51) 똑똑하다 [ttokttokada]

умный; толковый

Понятливый, иметь хорошую память или "иметь голову на плечах".

친구는 똑똑해서 공부를 잘해요.

chinguneun ttokttokaeseo gongbureul jalhaeyo.

친구+는 똑똑하+여서 공부+를 잘하+여요.
똑똑해서 잘해요

친구 : друг; подруга; товарищ; коллега
는 : Частица, указывающая на то, что какой-либо объект является основной темой в предложении.
똑똑하다 : умный; толковый
-여서 : Соединительное окончание предиката, указывающее на причину или обоснование чего-либо.
공부 : учёба
를 : Частица, указывающая на объект, на который непосредственно распространяется влияние действия.
잘하다 : хорошо делать; быть умелым; быть искусным; быть способным
-여요 : (нейтрально-вежливый стиль) Финитное окончание предиката в повествовательном, вопросительном или побудительном предложении. <изложение>

(52) 못하다 [motada]

не уметь; не мочь; быть не в состоянии

При сравнении быть хуже, чем кто-либо, что-либо.

음식 맛이 예전보다 못해요.
eumsik masi yejeonboda motaeyo.

음식 맛+이 예전+보다 못하+여요.
못해요

음식 : пища
맛 : вкус
이 : Частица, показывающая какое-либо состояние, объект ситуации или субъект действия.
예전 : далёкое прошлое
보다 : в корейском языке окончание, указывающее на предмет сравнения при выявлении отличий между чем-либо.
못하다 : не уметь; не мочь; быть не в состоянии
-여요 : (нейтрально-вежливый стиль) Финитное окончание предиката в повествовательном, вопросительном или побудительном предложении. <изложение>

(53) 쉽다 [swipda]

лёгкий

Не требуемый затрат или особых усилий для выполнения.

시험 문제가 쉬웠어요.

siheom munjega swiwosseoyo.

시험 문제+가 쉽(쉬우)+었+어요.
쉬웠어요

시험 : экзамен; испытание; проба
문제 : вопрос
가 : Окончание, указывающее на объект какой-либо ситуации, состояния или на лицо, выполняющее какое-либо действие.
쉽다 : лёгкий
-었- : Окончание, указывающее на полное завершение какого-либо события в прошлом и сохранения данного результата до настоящего времени.
-어요 : (нейтрально-вежливый стиль) Финитное окончание предиката в повествовательном, вопросительном или побудительном предложении. <изложение>

(54) 어렵다 [eoryeopda]

трудный; тяжёлый

Запутанный, отбирающий много сил.

수학 문제는 항상 어려워요.

suhak munjeneun hangsang eoryeowoyo.

수학 문제+는 항상 어렵(어려우)+어요.
어려워요

수학 : математика
문제 : вопрос
는 : Частица, указывающая на то, что какой-либо объект является основной темой в предложении.
항상 : всегда; постоянно
어렵다 : трудный; тяжёлый

-어요 : (нейтрально-вежливый стиль) Финитное окончание предиката в повествовательном, вопросительном или побудительном предложении. <изложение>

(55) 훌륭하다 [hullyunghada]

превосходный; достойный похвалы

Отличный, выдающийся.

이 차의 성능은 훌륭해요.

i chae seongneungeun hullyunghaeyo.

이 차+의 성능+은 훌륭하+여요.
훌륭해요

이 : этот; это
차 : автомобиль; повозка
의 : Частица, указывающая на ограниченные свойства или количество или одинаковые признаки, выраженные в предыдущем слове по отношению к последующему.
성능 : функциональность; эффективность
은 : Частица, показывающая то, что какой-то объект является главной темой в предложении.
훌륭하다 : превосходный; достойный похвалы
-여요 : (нейтрально-вежливый стиль) Финитное окончание предиката в повествовательном, вопросительном или побудительном предложении. <изложение>

(56) 힘들다 [himdeulda]

трудный; тяжёлый

Требующий много сил.

이 동작은 너무 힘들어요.

i dongjageun neomu himdeureoyo.

이 동작+은 너무 힘들+어요.

이 : этот; это
동작 : движение; телодвижение; жест
은 : Частица, показывающая то, что какой-то объект является главной темой в

предложении.
너무 : очень; чересчур
힘들다 : трудный; тяжёлый
-어요 : (нейтрально-вежливый стиль) Финитное окончание предиката в повествовательном, вопросительном или побудительном предложении. <изложение>

(57) 궁금하다 [gunggeumhada]

интересоваться

Сильно желать что-то знать.

무슨 화장품을 쓰는지 궁금해요?
museun hwajangpumeul sseuneunji gunggeumhaeyo?

무슨 화장품+을 쓰+는지 궁금하+여요?
궁금해요

무슨 : какой; который
화장품 : косметика
을 : Частица, указывающая на объект, на который действие оказывает непосредственное влияние.
쓰다 : использовать; применять; пользоваться
-는지 : Соединительное предикативное окончание, указывающее на неопределённую причину или оценку говорящим того, о чём говорится во второй части предложения.
궁금하다 : интересоваться
-여요 : (нейтрально-вежливый стиль) Финитное окончание предиката в повествовательном, вопросительном или побудительном предложении. <вопрос>

(58) 옳다 [olta]

нет эквивалента

Правильный, соответствующий каким-либо нормам.

그는 평생 옳은 삶을 살아 왔어요.
geuneun pyeongsaeng oreun salmeul sara wasseoyo.

그+는 평생 옳+은 삶+을 살+[아 오]+았+어요.
살아 왔어요

그 : тот; та; то; этот; эта; это; он; она; оно
는 : Частица, указывающая на то, что какой-либо объект является основной темой в предложении.
평생 : всю жизнь; жизнь
옳다 : Правильный, соответствующий каким-либо нормам.
-은 : Окончание, которое указывает на состояние лица или предмета в настоящем, преобразуя впередистоящее слово, словосочетание или придаточное предложение в определение.
삶 : жизнь
을 : Частица, указывающая на дополнение излагательного характера к сказуемому.
살다 : жить
-아 오다 : Выражение, указывающее на действие или состояние, которое непрерывно длится, приближаясь к какой-либо контрольной точке.
-았- : Окончание, указывающее на полное завершение какого-либо события в прошлом и сохранения данного результата до настоящего времени.
-어요 : (нейтрально-вежливый стиль) Финитное окончание предиката в повествовательном, вопросительном или побудительном предложении. <изложение>

(59) 바쁘다 [bappeuda]

очень занятой; очень спешный

Не имеющий свободного времени по причине большого количества дел или отсутствия времени.

식사를 못 할 정도로 바빠요.
siksareul mot hal jeongdoro bappayo.

식사+를 못 하+ㄹ 정도+로 바쁘(바ㅃ)+아요.
할 바빠요

식사 : трапеза; обед; пища
를 : Частица, указывающая на объект, на который непосредственно распространяется влияние действия.
못 : не [мочь]
하다 : Выполнять какое-либо действие, движение, работу и т.п.
-ㄹ : Окончание, преобразующее впередистоящее слово, словосочетание или придаточное предложение в определение.
정도 : Сравнительная величина или степень, характеризующая размер, интенсивность, качество и т.п. чего-либо.
로 : Частица, указывающая на способ или метод для выполнения какой-либо работы.
바쁘다 : очень занятой; очень спешный

-아요 : (нейтрально-вежливый стиль) Финитное окончание предиката в повествовательном, вопросительном или побудительном предложении. <изложение>

(60) 한가하다 [hangahada]

свободный

Не занятый, имеющий лишнее время.

학교가 방학이어서 한가해요.

hakgyoga banghagieoseo hangahaeyo.

학교+가 방학+이+어서 한가하+여요.

한가해요

학교 : школа
가 : Окончание, указывающее на объект какой-либо ситуации, состояния или на лицо, выполняющее какое-либо действие.
방학 : каникулы
이다 : Суффикс повествовательного падежа, выражающий смысл наименования свойства или разряда объекта, на который указывает подлежащее.
-어서 : Соединительное окончание предиката, указывающее на причину или обоснование чего-либо.
한가하다 : свободный
-여요 : (нейтрально-вежливый стиль) Финитное окончание предиката в повествовательном, вопросительном или побудительном предложении. <изложение>

(61) 달다 [dalda]

сладкий; вкусный

Имеющий вкус, свойственный сахару или мёду.

초콜릿이 너무 달아요.

chokollisi neomu darayo.

초콜릿+이 너무 달+아요.

초콜릿 : шоколад
이 : Частица, показывающая какое-либо состояние, объект ситуации или субъект

действия.
너무 : очень; чересчур
달다 : сладкий; вкусный
-아요 : (нейтрально-вежливый стиль) Финитное окончание предиката в повествовательном, вопросительном или побудительном предложении. <изложение>

(62) 맛없다 [madeopda]

невкусный

Лишённый вкуса (о еде).

배가 불러서 다 맛없어요.
baega bulleoseo da maseopseoyo.

배+가 부르(불ㄹ)+어서 다 맛없+어요.
불러서

배 : живот; утроба; брюхо; желудок
가 : Окончание, указывающее на объект какой-либо ситуации, состояния или на лицо, выполняющее какое-либо действие.
부르다 : сытый
-어서 : Соединительное окончание предиката, указывающее на причину или обоснование чего-либо.
다 : всё; все
맛없다 : невкусный
-어요 : (нейтрально-вежливый стиль) Финитное окончание предиката в повествовательном, вопросительном или побудительном предложении. <изложение>

(63) 맛있다 [maditda]

вкусный

Имеющий хороший вкус.

어머니가 해 주신 음식이 제일 맛있어요.
eomeoniga hae jusin eumsigi jeil masisseoyo.

어머니+가 하+[여 주]+시+ㄴ 음식+이 제일 맛있+어요.
해 주신

어머니 : мать
가 : Окончание, указывающее на объект какой-либо ситуации, состояния или на лицо, выполняющее какое-либо действие.
하다 : делать
-여 주다 : Выражение, указывающее на то, что описанное действие выполняется в интересах другого лица.
-시- : Гонорифический глагольный суффикс, указывающий на почтительное отношение к субъекту какого-либо состояния или действия.
-ㄴ : Окончание, которое указывает на завершенное постоянное действие или событие, преобразуя впередистоящее слово, словосочетание или придаточное предложение в определение.
음식 : пища
이 : Частица, показывающая какое-либо состояние, объект ситуации или субъект действия.
제일 : самый; первичный
맛있다 : вкусный
-어요 : (нейтрально-вежливый стиль) Финитное окончание предиката в повествовательном, вопросительном или побудительном предложении. <изложение>

(64) 맵다 [maepda]

острый; пикантный

Имеющий жгучий привкус, как у перца или горчицы, обжигающий кончик языка.

김치가 너무 매워요.
gimchiga neomu maewoyo.

김치+가 너무 맵(매우)+어요.
매워요

김치 : кимчхи
가 : Окончание, указывающее на объект какой-либо ситуации, состояния или на лицо, выполняющее какое-либо действие.
너무 : очень; чересчур
맵다 : острый; пикантный
-어요 : (нейтрально-вежливый стиль) Финитное окончание предиката в повествовательном, вопросительном или побудительном предложении. <изложение>

(65) 시다 [sida]

кислый; терпкий

Имеющий специфический вкус, подобный вкусу уксуса.

과일이 모두 셔요.

gwairi modu syeoyo.

과일+이 모두 시+어요.
셔요

과일 : фрукты
이 : Частица, показывающая какое-либо состояние, объект ситуации или субъект действия.
모두 : весь; все
시다 : кислый; терпкий
-어요 : (нейтрально-вежливый стиль) Финитное окончание предиката в повествовательном, вопросительном или побудительном предложении. <изложение>

(66) 시원하다 [siwonhada]

освежающий; приятно горячий

Освежающе холодный или горячий, приносящий удовлетворённость (о еде).

국물이 시원해요.

gungmuri siwonhaeyo.

국물+이 시원하+여요.
시원해요

국물 : бульон; суп
이 : Частица, показывающая какое-либо состояние, объект ситуации или субъект действия.
시원하다 : освежающий; приятно горячий
-여요 : (нейтрально-вежливый стиль) Финитное окончание предиката в повествовательном, вопросительном или побудительном предложении. <изложение>

(67) 싱겁다 [singgeopda]

недосолённый

Недостаточно солёный на вкус (о еде).

찌개에 물을 넣어서 싱거워요.

jjigaee mureul neoeoseo singgeowoyo.

찌개+에 물+을 넣+어서 싱겁(싱거우)+어요.

싱거워요

찌개 : ччигэ
에 : Окончание, указывающее на объект, подвергающийся влиянию какого-либо действия или процесса.
물 : вода
을 : Частица, указывающая на объект, на который действие оказывает непосредственное влияние.
넣다 : класть, положить
-어서 : Соединительное окончание предиката, указывающее на причину или обоснование чего-либо.
싱겁다 : недосолённый
-어요 : (нейтрально-вежливый стиль) Финитное окончание предиката в повествовательном, вопросительном или побудительном предложении. <изложение>

(68) 쓰다 [sseuda]

горький

Напоминающий вкус лекарства.

아이가 먹기에 약이 너무 써요.

aiga meokgie yagi neomu sseoyo.

아이+가 먹+기+에 약+이 너무 쓰(ㅆ)+어요.

써요

아이 : ребёнок
가 : Окончание, указывающее на объект какой-либо ситуации, состояния или на лицо, выполняющее какое-либо действие.
먹다 : пить

-기 : Окончание, позволяющее впередистоящему слову или выражению выполнять функцию имени существительного.
에 : Окончание, указывающее на состояние, окружение, условие и т.д. чего-либо.
약 : лекарство; медикамент
이 : Частица, показывающая какое-либо состояние, объект ситуации или субъект действия.
너무 : очень; чересчур
쓰다 : горький
-어요 : (нейтрально-вежливый стиль) Финитное окончание предиката в повествовательном, вопросительном или побудительном предложении. <изложение>

(69) 짜다 [jjada]

солёный

Имеющий вкус соли.

소금을 많이 넣어서 국물이 짜요.
sogeumeul mani neoeoseo gungmuri jjayo.

소금+을 많이 넣+어서 국물+이 짜+아요.
짜요

소금 : соль
을 : Частица, указывающая на объект, на который действие оказывает непосредственное влияние.
많이 : много
넣다 : класть, положить
-어서 : Соединительное окончание предиката, указывающее на причину или обоснование чего-либо.
국물 : бульон; суп
이 : Частица, показывающая какое-либо состояние, объект ситуации или субъект действия.
짜다 : солёный
-아요 : (нейтрально-вежливый стиль) Финитное окончание предиката в повествовательном, вопросительном или побудительном предложении. <изложение>

(70) 깨끗하다 [kkaekkeutada]

чистый

Негрязный (о предмете).

화장실이 정말 깨끗해요.
hwajangsiri jeongmal kkaekkeutaeyo.

화장실+이 정말 깨끗하+여요.
깨끗해요

화장실 : туалет
이 : Частица, показывающая какое-либо состояние, объект ситуации или субъект действия.
정말 : действительно; вправду; честно
깨끗하다 : чистый
-여요 : (нейтрально-вежливый стиль) Финитное окончание предиката в повествовательном, вопросительном или побудительном предложении. <изложение>

(71) 더럽다 [deoreopda]

запачканный; грязный; неопрятный

Нечистый или неряшливый из-за прилипшей грязи или остатков чего-либо.

차가 더러워서 세차를 했어요.
chaga deoreowoseo sechareul haesseoyo.

차+가 더럽(더러우)+어서 세차+를 하+였+어요.
더러워서 **했어요**

차 : автомобиль; повозка
가 : Окончание, указывающее на объект какой-либо ситуации, состояния или на лицо, выполняющее какое-либо действие.
더럽다 : запачканный; грязный; неопрятный
-어서 : Соединительное окончание предиката, указывающее на причину или обоснование чего-либо.
세차 : автомойка
를 : Частица, указывающая на объект, на который непосредственно распространяется влияние действия.
하다 : делать
-였- : Окончание, указывающее на полное завершение какого-либо события в прошлом и сохранения данного результата до настоящего времени.

-어요 : (нейтрально-вежливый стиль) Финитное окончание предиката в повествовательном, вопросительном или побудительном предложении. <изложение>

(72) 불편하다 [bulpyeonhada]

неудобный

Лишённый удобства в использовании или употреблении чего-либо.

이곳은 교통이 불편해요.

igoseun gyotongi bulpyeonhaeyo.

이곳+은 교통+이 불편하+여요.
불편해요

이곳 : это место
은 : Частица, показывающая то, что какой-то объект является главной темой в предложении.
교통 : уличное движение; транспорт
이 : Частица, показывающая какое-либо состояние, объект ситуации или субъект действия.
불편하다 : неудобный
-여요 : (нейтрально-вежливый стиль) Финитное окончание предиката в повествовательном, вопросительном или побудительном предложении. <изложение>

(73) 시끄럽다 [sikkeureopda]

шумный

Создающий звуки повышенной громкости.

시끄러운 소리가 들려요.

sikkeureoun soriga deullyeoyo.

시끄럽(시끄러우)+ㄴ 소리+가 들리+어요.
시끄러운 들려요

시끄럽다 : шумный

-ㄴ : Окончание, указывающее на состояние лица или предмета в настоящий момент, при котором впередистоящее слово, словосочетание или придаточное предложение выполняет функцию определения.
소리 : звук
가 : Окончание, указывающее на объект какой-либо ситуации, состояния или на лицо, выполняющее какое-либо действие.
들리다 : слышаться; доноситься; быть услышанным
-어요 : (нейтрально-вежливый стиль) Финитное окончание предиката в повествовательном, вопросительном или побудительном предложении. <изложение>

(74) 조용하다 [joyonghada]

тихий; спокойный; бесшумный; неслышный

Лишённый звуков.

거리가 조용해요.
georiga joyonghaeyo.

거리+가 조용하+여요.
조용해요

거리 : улица
가 : Окончание, указывающее на объект какой-либо ситуации, состояния или на лицо, выполняющее какое-либо действие.
조용하다 : тихий; спокойный; бесшумный; неслышный
-여요 : (нейтрально-вежливый стиль) Финитное окончание предиката в повествовательном, вопросительном или побудительном предложении. <изложение>

(75) 지저분하다 [jijeobunhada]

беспорядочный

Беспорядочно разбросанный.

길이 너무 지저분해요.
giri neomu jijeobunhaeyo.

길+이 너무 지저분하+여요.
지저분해요

길 : дорога; путь; тропа
이 : Частица, показывающая какое-либо состояние, объект ситуации или субъект действия.
너무 : очень; чересчур
지저분하다 : беспорядочный
-여요 : (нейтрально-вежливый стиль) Финитное окончание предиката в повествовательном, вопросительном или побудительном предложении. <изложение>

(76) 비싸다 [bissada]

дорогостоящий; дорогой

Иметь очень высокую стоимость, стоить больше, чем обычно.

백화점은 시장보다 가격이 비싸요.

baekwajeomeun sijangboda gagyeogi bissayo.

백화점+은 시장+보다 가격+이 비싸+아요.
비싸요

백화점 : универмаг; универсальный магазин
은 : Частица, показывающая то, что какой-то объект является главной темой в предложении.
시장 : базар; рынок
보다 : в корейском языке окончание, указывающее на предмет сравнения при выявлении отличий между чем-либо.
가격 : цена
이 : Частица, показывающая какое-либо состояние, объект ситуации или субъект действия.
비싸다 : дорогостоящий; дорогой
-아요 : (нейтрально-вежливый стиль) Финитное окончание предиката в повествовательном, вопросительном или побудительном предложении. <изложение>

(77) 싸다 [ssada]

дешёвый

Имеющий стоимость, ниже обычной.

이 동네는 집값이 싸요.

i dongneneun jipgapsi ssayo.

이 동네+는 집값+이 싸+아요.
싸요

이 : этот; это
동네 : район; селение; деревня; окрестность
는 : Частица, указывающая на то, что какой-либо объект является основной темой в предложении.
집값 : стоимость дома
이 : Частица, показывающая какое-либо состояние, объект ситуации или субъект действия.
싸다 : дешёвый
-아요 : (нейтрально-вежливый стиль) Финитное окончание предиката в повествовательном, вопросительном или побудительном предложении. <изложение>

(78) 덥다 [deopda]

жаркий

Имеющий высокую температуру воздуха.

여름이 지났는데도 더워요.
yeoreumi jinanneundedo deowoyo.

여름+이 지나+았+는데도 덥(더우)+어요.
지났는데도 더워요

여름 : лето
이 : Частица, показывающая какое-либо состояние, объект ситуации или субъект действия.
지나다 : проходить; протекать
-았- : Окончание, указывающее на полное завершение какого-либо события в прошлом и сохранения данного результата до настоящего времени.
-는데도 : Выражение со значением уступки, указывающее на то, что описанная в главном предложении ситуация возникает вопреки или независимо от ситуации, описанной в придаточном предложении.
덥다 : жаркий
-어요 : (нейтрально-вежливый стиль) Финитное окончание предиката в повествовательном, вопросительном или побудительном предложении. <изложение>

(79) 따뜻하다 [ttatteutada]

тёплый

Имеющий умеренную температуру.

날씨가 따뜻해요.

nalssiga ttatteutaeyo.

날씨+가 따뜻하+여요.
따뜻해요

날씨 : погода
가 : Окончание, указывающее на объект какой-либо ситуации, состояния или на лицо, выполняющее какое-либо действие.
따뜻하다 : тёплый
-여요 : (нейтрально-вежливый стиль) Финитное окончание предиката в повествовательном, вопросительном или побудительном предложении. <изложение>

(80) 맑다 [makda]

ясный

Ясный, безоблачный, не окутанный туманом (о погоде).

가을 하늘은 푸르고 맑아요.

gaeul haneureun pureugo malgayo.

가을 하늘+은 푸르+고 맑+아요.

가을 : осень
하늘 : небо
은 : Частица, показывающая то, что какой-то объект является главной темой в предложении.
푸르다 : голубой; зелёный
-고 : Соединительное окончание предиката, используемое при перечислении двух и более равноправных фактов.
맑다 : ясный
-아요 : (нейтрально-вежливый стиль) Финитное окончание предиката в повествовательном, вопросительном или побудительном предложении. <изложение>

(81) 선선하다 [seonseonhada]

свежий; прохладный

Нежный и свежий (о чувстве лёгкого холодка).

이제 아침저녁으로 선선해요.

ije achimjeonyeogeuro seonseonhaeyo.

이제 아침저녁+으로 선선하+여요.

선선해요

이제 : теперь

아침저녁 : утро и вечер

으로 : Частица, указывающая на время.

선선하다 : свежий; прохладный

-여요 : (нейтрально-вежливый стиль) Финитное окончание предиката в повествовательном, вопросительном или побудительном предложении. <изложение>

(82) 쌀쌀하다 [ssalssalhada]

зябкий

Погода прохладная до такой степени, что воспринимается как слегка холодная.

바람이 꽤 쌀쌀해요.

barami kkwae ssalssalhaeyo.

바람+이 꽤 쌀쌀하+여요.

쌀쌀해요

바람 : воздух

이 : Частица, показывающая какое-либо состояние, объект ситуации или субъект действия.

꽤 : довольно; весьма

쌀쌀하다 : зябкий

-여요 : (нейтрально-вежливый стиль) Финитное окончание предиката в повествовательном, вопросительном или побудительном предложении. <изложение>

(83) 춥다 [chupda]

холодный

Низкая температура атмосферы, воздуха.

날이 추우니 따뜻하게 입으세요.

nari chuuni ttatteutage ibeuseyo.

날+이 춥(추우)+니 따뜻하+게 입+으세요.

추우니

날 : погода
이 : Частица, показывающая какое-либо состояние, объект ситуации или субъект действия.
춥다 : холодный
-니 : Соединительное окончание, указывающее на то, что содержание первой части предложения является причиной, обоснованием, предпосылкой того, о чём говорится во второй части предложения.
따뜻하다 : тёплый
-게 : Соединительное окончание предиката, указывающее на то, описанное в первой части предложения действие или состояние является целью, результатом, образом действия, степенью и т.п. того, о чём говорится в последующей главной части предложения.
입다 : надевать; одевать[ся]
-으세요 : (нейтрально-вежливый стиль) Финитное окончание предиката в повествовательном, вопросительном или побудительном предложении. <приказ>

(84) 흐리다 [heurida]

пасмурный

Погода неясная из-за облачности или тумана.

안개 때문에 흐려서 앞이 안 보여요.

angae ttaemune heuryeoseo api an boyeoyo.

안개 때문+에 흐리+어서 앞+이 안 보이+어요.

흐려서 보여요

안개 : туман
때문 : Из-за
에 : Окончание, указывающее на причину какого-либо дела.
흐리다 : пасмурный
-어서 : Соединительное окончание предиката, указывающее на причину или обоснование чего-либо.
앞 : перед
이 : Частица, показывающая какое-либо состояние, объект ситуации или субъект действия.
안 : не; нет; ни
보이다 : быть видным; виднеться
-어요 : (нейтрально-вежливый стиль) Финитное окончание предиката в повествовательном, вопросительном или побудительном предложении. <изложение>

(85) 가늘다 [ganeulda]

узкий; тонкий

Небольшой по ширине или длинный, имеющий небольшую толщину.

저는 손가락이 가늘어요.
jeoneun songaragi ganeureoyo.

저+는 손가락+이 가늘+어요.

저 : я
는 : Частица, указывающая на то, что какой-либо объект является основной темой в предложении.
손가락 : палец
이 : Частица, показывающая какое-либо состояние, объект ситуации или субъект действия.
가늘다 : узкий; тонкий
-어요 : (нейтрально-вежливый стиль) Финитное окончание предиката в повествовательном, вопросительном или побудительном предложении. <изложение>

(86) 같다 [gatda]

одинаковый; такой же

Не отличающийся от другого.

저는 여동생과 키가 <u>같아요</u>.
jeoneun yeodongsaenggwa kiga gatayo.

저+는 여동생+과 키+가 같+아요.

저 : я
는 : Частица, указывающая на то, что какой-либо объект является основной темой в предложении.
여동생 : Младшая сестра.
과 : Частица, указывающая на то, что слово является объектом сравнения или нормой.
키 : рост
가 : Окончание, указывающее на объект какой-либо ситуации, состояния или на лицо, выполняющее какое-либо действие.
같다 : одинаковый; такой же
-아요 : (нейтрально-вежливый стиль) Финитное окончание предиката в повествовательном, вопросительном или побудительном предложении. <изложение>

(87) 굵다 [gukda]

толстый; полный; крупный; большой

Имеющий большую ширину или длинную окружность (о продолговатом предмете).

저는 허리가 <u>굵어요</u>.
jeoneun heoriga gulgeoyo.

저+는 허리+가 굵+어요.

저 : я
는 : Частица, указывающая на то, что какой-либо объект является основной темой в предложении.
허리 : поясница; талия; пояс
가 : Окончание, указывающее на объект какой-либо ситуации, состояния или на лицо, выполняющее какое-либо действие.
굵다 : толстый; полный; крупный; большой
-어요 : (нейтрально-вежливый стиль) Финитное окончание предиката в повествовательном, вопросительном или побудительном предложении. <изложение>

(88) 길다 [gilda]

длинный

Быть далеко удалённым друг от друга (о двух концах какого-либо предмета).

치마 길이가 길어요.

chima giriga gireoyo.

치마 길이+가 길+어요.

치마 : юбка
길이 : длина; протяжённость; расстояние; отрезок
가 : Окончание, указывающее на объект какой-либо ситуации, состояния или на лицо, выполняющее какое-либо действие.
길다 : длинный
-어요 : (нейтрально-вежливый стиль) Финитное окончание предиката в повествовательном, вопросительном или побудительном предложении. <изложение>

(89) 깊다 [gipda]

глубокий

Имеющий большое расстояние от верха до дна или внешней стороны до внутренней.

물이 깊으니 들어가지 마세요.

muri gipeuni deureogaji maseyo.

물+이 깊+으니 들어가+[지 말(마)]+세요.
들어가지 마세요

물 : воды
이 : Частица, показывающая какое-либо состояние, объект ситуации или субъект действия.
깊다 : глубокий
-으니 : Соединительное окончание, указывающее на то, что содержание первой части предложения является причиной, обоснованием, предпосылкой того, о чём говорится во второй части предложения.
들어가다 : входить
-지 말다 : Выражение со значением "препятствовать совершению чего-либо, не давать сделать что-либо".

-세요 : (нейтрально-вежливый стиль) Финитное окончание предиката в повествовательном, вопросительном или побудительном предложении. <приказ>

(90) 낮다 [natda]

низкий; невысокий

Имеющий небольшую протяжённость от верхней точки до нижней.

저는 굽이 낮은 구두를 즐겨 신어요.

jeoneun gubi najeun gudureul jeulgyeo sineoyo.

저+는 굽+이 낮+은 구두+를 즐기+어 신+어요.
즐겨

저 : я
는 : Частица, указывающая на то, что какой-либо объект является основной темой в предложении.
굽 : каблук
이 : Частица, показывающая какое-либо состояние, объект ситуации или субъект действия.
낮다 : низкий; невысокий
-은 : Окончание, которое указывает на состояние лица или предмета в настоящем, преобразуя впередистоящее слово, словосочетание или придаточное предложение в определение.
구두 : туфли; ботинки
를 : Частица, указывающая на объект, на который непосредственно распространяется влияние действия.
즐기다 : Увлекаться каким-либо занятием.
-어 : Соединительное окончание, указывающее на то, что действие, описанное в первой части предложения произошло раньше действия, описанного во второй части предложения, или на то, что оно является способом или средством его выполнения.
신다 : обувать; надевать (на ноги)
-어요 : (нейтрально-вежливый стиль) Финитное окончание предиката в повествовательном, вопросительном или побудительном предложении. <изложение>

(91) 넓다 [neolda]

широкий; просторный

Имеющий большую площадь (о какой-либо поверхности).

넓은 이마를 가리려고 앞머리를 내렸어요.

neolbeun imareul gariryeogo ammeorireul naeryeosseoyo.

넓+은 이마+를 가리+려고 앞머리+를 내리+었+어요.

내렸어요

넓다 : широкий; просторный

-은 : Окончание, которое указывает на состояние лица или предмета в настоящем, преобразуя впередистоящее слово, словосочетание или придаточное предложение в определение.

이마 : лоб

를 : Частица, указывающая на объект, на который непосредственно распространяется влияние действия.

가리다 : закрывать; заслонять; покрывать; загораживать

-려고 : Соединительное окончание предиката, указывающее на наличие желания или намерения выполнить какое-либо действие.

앞머리 : чёлка

를 : Частица, указывающая на объект, на который непосредственно распространяется влияние действия.

내리다 : опускать

-었- : Окончание, указывающее на полное завершение какого-либо события в прошлом и сохранения данного результата до настоящего времени.

-어요 : (нейтрально-вежливый стиль) Финитное окончание предиката в повествовательном, вопросительном или побудительном предложении. <изложение>

(92) 높다 [nopda]

высокий; возвышенный

Имеющий большую высоту от низа до верха.

서울에는 높은 빌딩이 많아요.

seoureneun nopeun bildingi manayo.

서울+에+는 높+은 빌딩+이 많+아요.

서울 : город Сеул

에 : Окончание, указывающее на какое-либо место или пространство.

는 : Частица, указывающая на то, что какой-либо объект является основной темой в предложении.

높다 : высокий; возвышенный

-은 : Окончание, которое указывает на состояние лица или предмета в настоящем, преобразуя впередистоящее слово, словосочетание или придаточное предложение в определение.
빌딩 : здание; офисное здание
이 : Частица, показывающая какое-либо состояние, объект ситуации или субъект действия.
많다 : много
-아요 : (нейтрально-вежливый стиль) Финитное окончание предиката в повествовательном, вопросительном или побудительном предложении. <изложение>

(93) 다르다 [dareuda]

другой; иной; разный

Быть не похожим один на другого.

저는 언니와 성격이 많이 달라요.
jeoneun eonniwa seonggyeogi mani dallayo.

저+는 언니+와 성격+이 많이 다르(달ㄹ)+아요.
달라요

저 : я
는 : Частица, указывающая на то, что какой-либо объект является основной темой в предложении.
언니 : старшая сестра
와 : Частица, указывающая на то, что объект является объектом сравнения или нормой.
성격 : характер
이 : Частица, показывающая какое-либо состояние, объект ситуации или субъект действия.
많이 : много
다르다 : другой; иной; разный
-아요 : (нейтрально-вежливый стиль) Финитное окончание предиката в повествовательном, вопросительном или побудительном предложении. <изложение>

(94) 닮다 [damda]

походить друг на друга

Сходиться характерами, внешностью и прочим (о двух и более людях, предметах и т.п.).

저는 언니와 안 닮았어요.
jeoneun eonniwa an dalmasseoyo.

저+는 언니+와 안 닮+았+어요.

저 : я
는 : Частица, указывающая на то, что какой-либо объект является основной темой в предложении.
언니 : старшая сестра
와 : Частица, указывающая на то, что объект является объектом сравнения или нормой.
안 : не; нет; ни
닮다 : походить друг на друга
-았- : Окончание, указывающее на полное завершение какого-либо события в прошлом и сохранения данного результата до настоящего времени.
-어요 : (нейтрально-вежливый стиль) Финитное окончание предиката в повествовательном, вопросительном или побудительном предложении. <изложение>

(95) 두껍다 [dukkeopda]

толстый; плотный

Широкий в поперечном разрезе.

고기를 두껍게 썰어서 잘 안 익어요.
gogireul dukkeopge sseoreoseo jal an igeoyo.

고기+를 두껍+게 썰+어서 잘 안 익+어요.

고기 : мясо
를 : Частица, указывающая на объект, на который непосредственно распространяется влияние действия.
두껍다 : толстый; плотный
-게 : Соединительное окончание предиката, указывающее на то, описанное в первой части предложения действие или состояние является целью, результатом, образом действия, степенью и т.п. того, о чём говорится в последующей главной части предложения.
썰다 : нарезать; отрезать
-어서 : Соединительное окончание предиката, указывающее на причину или обоснование чего-либо.
잘 : Правильно, подходяще.
안 : не; нет; ни

익다 : быть готовым; доходить до готовности; свариться; пожариться
-어요 : (нейтрально-вежливый стиль) Финитное окончание предиката в повествовательном, вопросительном или побудительном предложении. <изложение>

(96) 똑같다 [ttokgatda]

точно такой же, как; очень похожий на; одинаковый

Не имеющий отличий в форме, свойствах, количестве и т.п.

저와 똑같은 이름을 가진 사람들이 많아요.
jeowa ttokgateun ireumeul gajin saramdeuri manayo.

저+와 똑같+은 이름+을 가지+ㄴ 사람+들+이 많+아요.
가진

저 : я
와 : Частица, указывающая на то, что объект является объектом сравнения или нормой.
똑같다 : точно такой же, как; очень похожий на; одинаковый
-은 : Окончание, которое указывает на состояние лица или предмета в настоящем, преобразуя впередистоящее слово, словосочетание или придаточное предложение в определение.
이름 : имя человека
을 : Частица, указывающая на объект, на который действие оказывает непосредственное влияние.
가지다 : иметь; держать; содержать
-ㄴ : Окончание, которое указывает на завершенное постоянное действие или событие, преобразуя впередистоящее слово, словосочетание или придаточное предложение в определение.
사람 : человек
들 : Суффикс со значением множественного числа.
이 : Частица, показывающая какое-либо состояние, объект ситуации или субъект действия.
많다 : много
-아요 : (нейтрально-вежливый стиль) Финитное окончание предиката в повествовательном, вопросительном или побудительном предложении. <изложение>

(97) 멋있다 [meoditda]

привлекательный; прелестный; замечательный

Очень хороший, выдающийся.

새로 산 옷인데 멋있어요?
saero san osinde meosisseoyo?

새로 사+ㄴ 옷+이+ㄴ데 멋있+어요?
산 옷인데

새로 : заново; снова; вновь; на новое; по-новому
사다 : покупать
-ㄴ : Окончание, которое указывает на завершенное постоянное действие или событие, преобразуя впередистоящее слово, словосочетание или придаточное предложение в определение.
옷 : одежда; платье
이다 : Суффикс повествовательного падежа, выражающий смысл наименования свойства или разряда объекта, на который указывает подлежащее.
-ㄴ데 : Соединительное окончание, вводящее некую предварительную информацию об объекте, о котором говорится в последующей части предложения.
멋있다 : привлекательный; прелестный; замечательный
-어요 : (нейтрально-вежливый стиль) Финитное окончание предиката в повествовательном, вопросительном или побудительном предложении. <вопрос>

(98) 비슷하다 [biseutada]

похожий

Имеющий сходство в размерах, виде, состоянии и т.п. (о двух и более объектах).

학교 건물이 모두 비슷해요.
hakgyo geonmuri modu biseutaeyo.

학교 건물+이 모두 비슷하+여요.
비슷해요

학교 : школа
건물 : здание; строение
이 : Частица, показывающая какое-либо состояние, объект ситуации или субъект действия.
모두 : весь; все
비슷하다 : похожий
-여요 : (нейтрально-вежливый стиль) Финитное окончание предиката в повествовательном, вопросительном или побудительном предложении. <изложение>

(99) 얇다 [yalda]

тонкий

Небольшой толщины.

얇은 옷을 입고 나와서 좀 추워요.

yalbeun oseul ipgo nawaseo jom chuwoyo.

얇+은 옷+을 입+고 나오+아서 좀 춥(추우)+어요.

나와서 추워요

얇다 : тонкий

-은 : Окончание, которое указывает на состояние лица или предмета в настоящем, преобразуя впередистоящее слово, словосочетание или придаточное предложение в определение.

옷 : одежда; платье

을 : Частица, указывающая на объект, на который действие оказывает непосредственное влияние.

입다 : надевать; одевать[ся]

-고 : Соединительное окончание предиката, указывающее на продолжение действия, описанного в первой части предложения, или на сохранение результата данного действия в течение времени выполнения действия, описанного во второй части предложения.

나오다 : выходить

-아서 : Соединительное окончание предиката, указывающее на причину или обоснование чего-либо.

좀 : немного

춥다 : холодный

-어요 : (нейтрально-вежливый стиль) Финитное окончание предиката в повествовательном, вопросительном или побудительном предложении. <изложение>

(100) 작다 [jakda]

маленький

Менее длинный, широкий, большой по сравнению с другими.

언니는 키가 저보다 작아요.

eonnineun kiga jeoboda jagayo.

언니+는 키+가 저+보다 작+아요.

언니 : старшая сестра
는 : Частица, указывающая на то, что какой-либо объект является основной темой в предложении.
키 : рост
가 : Окончание, указывающее на объект какой-либо ситуации, состояния или на лицо, выполняющее какое-либо действие.
저 : я
보다 : в корейском языке окончание, указывающее на предмет сравнения при выявлении отличий между чем-либо.
작다 : маленький
-아요 : (нейтрально-вежливый стиль) Финитное окончание предиката в повествовательном, вопросительном или побудительном предложении. <изложение>

(101) 좁다 [jopda]

тесный

Имеющий маленькую площадь (о поверхности, поле и т.п.).

여기는 주차장이 좁아요.
yeogineun juchajangi jobayo.

여기+는 주차장+이 좁+아요.

여기 : здесь; тут; в этом месте
는 : Частица, указывающая на то, что какой-либо объект является основной темой в предложении.
주차장 : Автостоянка, парковка
이 : Частица, показывающая какое-либо состояние, объект ситуации или субъект действия.
좁다 : тесный
-아요 : (нейтрально-вежливый стиль) Финитное окончание предиката в повествовательном, вопросительном или побудительном предложении. <изложение>

(102) 짧다 [jjalda]

короткий

Близкий по расстоянию от одного до другого конца какой-либо вещи.

긴 머리를 짧게 잘랐어요.
gin meorireul jjalge jallasseoyo.

길(기)+ㄴ 머리+를 짧+게 자르(잘ㄹ)+았+어요.
긴 잘랐어요

길다 : длинный
-ㄴ : Окончание, указывающее на состояние лица или предмета в настоящий момент, при котором впередистоящее слово, словосочетание или придаточное предложение выполняет функцию определения.
머리 : волосы
를 : Частица, указывающая на объект, на который непосредственно распространяется влияние действия.
짧다 : короткий
-게 : Соединительное окончание предиката, указывающее на то, описанное в первой части предложения действие или состояние является целью, результатом, образом действия, степенью и т.п. того, о чём говорится в последующей главной части предложения.
자르다 : разделять; разрезать; разрубать; распиливать; отрезать; отрубать
-았- : Окончание, указывающее на полное завершение какого-либо события в прошлом и сохранения данного результата до настоящего времени.
-어요 : (нейтрально-вежливый стиль) Финитное окончание предиката в повествовательном, вопросительном или побудительном предложении. <изложение>

(103) 크다 [keuda]

большой

Превосходящий обычный размер (о длине, ширине, высоте, объёме и т.п.).

피자가 생각보다 훨씬 커요.
pijaga saenggakboda hwolssin keoyo.

피자+가 생각+보다 훨씬 크(ㅋ)+어요.
커요

피자 : пицца
가 : Окончание, указывающее на объект какой-либо ситуации, состояния или на лицо, выполняющее какое-либо действие.
생각 : мечта; воображение
보다 : в корейском языке окончание, указывающее на предмет сравнения при выявлении отличий между чем-либо.
훨씬 : гораздо; более
크다 : большой

-어요 : (нейтрально-вежливый стиль) Финитное окончание предиката в повествовательном, вопросительном или побудительном предложении. <изложение>

(104) 화려하다 [hwaryeohada]

роскошный; пышный

Хорошо выглядящий и очень красивый.

방 안을 화려하게 꾸몄어요.

bang aneul hwaryeohage kkumyeosseoyo.

방 안+을 화려하+게 꾸미+었+어요.

꾸몄어요

방 : комната; помещение
안 : внутреняя сторона
을 : Частица, указывающая на объект, на который действие оказывает непосредственное влияние.
화려하다 : роскошный; пышный
-게 : Соединительное окончание предиката, указывающее на то, описанное в первой части предложения действие или состояние является целью, результатом, образом действия, степенью и т.п. того, о чём говорится в последующей главной части предложения.
꾸미다 : украшать; оформлять; декорировать
-었- : Окончание, указывающее на полное завершение какого-либо события в прошлом и сохранения данного результата до настоящего времени.
-어요 : (нейтрально-вежливый стиль) Финитное окончание предиката в повествовательном, вопросительном или побудительном предложении. <изложение>

(105) 가볍다 [gabyeopda]

лёгкий

Имеющий малый вес.

이 노트북은 아주 가벼워요.

i noteubugeun aju gabyeowoyo.

이 노트북+은 아주 가볍(가벼우)+어요.

가벼워요

이 : этот; это
노트북 : ноутбук
은 : Частица, показывающая то, что какой-то объект является главной темой в предложении.
아주 : очень
가볍다 : лёгкий
-어요 : (нейтрально-вежливый стиль) Финитное окончание предиката в повествовательном, вопросительном или побудительном предложении. <изложение>

(106) 강하다 [ganghada]

сильный; выносливый; крепкий

Обладающий большой физической силой.

오늘은 바람이 강하게 불고 있어요.
oneureun barami ganghage bulgo isseoyo.

오늘+은 바람+이 강하+게 불+[고 있]+어요.

오늘 : сегодня
은 : Частица, показывающая то, что какой-то объект является главной темой в предложении.
바람 : воздух
이 : Частица, показывающая какое-либо состояние, объект ситуации или субъект действия.
강하다 : сильный; выносливый; крепкий
-게 : Соединительное окончание предиката, указывающее на то, описанное в первой части предложения действие или состояние является целью, результатом, образом действия, степенью и т.п. того, о чём говорится в последующей главной части предложения.
불다 : дуть
-고 있다 : Выражение, указывающее на длительность действия.
-어요 : (нейтрально-вежливый стиль) Финитное окончание предиката в повествовательном, вопросительном или побудительном предложении. <изложение>

(107) 무겁다 [mugeopda]

тяжёлый; тяжеловесный; громоздкий; грузный

Имеющий большой вес.

저는 보기보다 무거워요.
jeoneun bogiboda mugeowoyo.
저+는 보+기+보다 무겁(무거우)+어요.
무거워요

저 : я
는 : Частица, указывающая на то, что какой-либо объект является основной темой в предложении.
보다 : смотреть; осматривать; видеть
-기 : Окончание, позволяющее впередистоящему слову или выражению выполнять функцию имени существительного.
보다 : в корейском языке окончание, указывающее на предмет сравнения при выявлении отличий между чем-либо.
무겁다 : тяжёлый; тяжеловесный; громоздкий; грузный
-어요 : (нейтрально-вежливый стиль) Финитное окончание предиката в повествовательном, вопросительном или побудительном предложении. <изложение>

(108) 부드럽다 [budeureopda]

мягкий (на ощупь); гладкий
Нешершавый на ощупь, без шероховатостей.

이 운동화는 가볍고 안쪽이 부드러워요.
i undonghwaneun gabyeopgo anjjogi budeureowoyo.

이 운동화+는 가볍+고 안쪽+이 부드럽(부드러우)+어요.
부드러워요

이 : этот; это
운동화 : кроссовки; спортивная обувь
는 : Частица, указывающая на то, что какой-либо объект является основной темой в предложении.
가볍다 : лёгкий
-고 : Соединительное окончание предиката, используемое при перечислении двух и более равноправных фактов.
안쪽 : внутренняя часть
이 : Частица, показывающая какое-либо состояние, объект ситуации или субъект действия.
부드럽다 : мягкий (на ощупь); гладкий

-어요 : (нейтрально-вежливый стиль) Финитное окончание предиката в повествовательном, вопросительном или побудительном предложении. <изложение>

(109) 새롭다 [saeropda]

новый

Отличающийся от чего-либо существовавшего до настоящего времени или не существовавший ранее.

요즘 새로운 취미가 생겼어요?

yojeum saeroun chwimiga saenggyeosseoyo?

요즘 새롭(새로우)+ㄴ 취미+가 생기+었+어요?

새로운 생겼어요

요즘 : в последнее время; недавно; на днях

새롭다 : новый

-ㄴ : Окончание, указывающее на состояние лица или предмета в настоящий момент, при котором впередистоящее слово, словосочетание или придаточное предложение выполняет функцию определения.

취미 : хобби

가 : Окончание, указывающее на объект какой-либо ситуации, состояния или на лицо, выполняющее какое-либо действие.

생기다 : появляться; возникать; происходить

-었- : Окончание, указывающее на полное завершение какого-либо события в прошлом и сохранения данного результата до настоящего времени.

-어요 : (нейтрально-вежливый стиль) Финитное окончание предиката в повествовательном, вопросительном или побудительном предложении. <вопрос>

(110) 느리다 [neurida]

медленный; медлительный; неповоротливый

Затрачивающий много времени на исполнение какого-либо действия.

저는 걸음이 느려요.

jeoneun georeumi neuryeoyo.

저+는 걸음+이 느리+어요.

느려요

저 : я
는 : Частица, указывающая на то, что какой-либо объект является основной темой в предложении.
걸음 : шаг
이 : Частица, показывающая какое-либо состояние, объект ситуации или субъект действия.
느리다 : медленный; медлительный; неповоротливый
-어요 : (нейтрально-вежливый стиль) Финитное окончание предиката в повествовательном, вопросительном или побудительном предложении. <изложение>

(111) 빠르다 [ppareuda]

быстрый; скорый; поспешный

Требующий мало времени для совершения какого-либо действия.

제 친구는 말이 너무 빨라요.
je chinguneun mari neomu ppallayo.

저+의 친구+는 말+이 너무 빠르(빨ㄹ)+아요.
제 빨라요

저 : я
의 : Частица, указывающая на то, что в предыдущем слове содержится значение собственности, принадлежности, сырья, источника, основы в отношении последующего.
친구 : друг; подруга; товарищ; коллега
는 : Частица, указывающая на то, что какой-либо объект является основной темой в предложении.
말 : голос
이 : Частица, показывающая какое-либо состояние, объект ситуации или субъект действия.
너무 : очень; чересчур
빠르다 : быстрый; скорый; поспешный
-아요 : (нейтрально-вежливый стиль) Финитное окончание предиката в повествовательном, вопросительном или побудительном предложении. <изложение>

(112) 뜨겁다 [tteugeopda]

горячий; жаркий

Имеющий высокую температуру.

국물이 뜨거우니 조심하세요.
gungmuri tteugeouni josimhaseyo.

국물+이 뜨겁(뜨거우)+니 조심하+세요.
뜨거우니

국물 : бульон; суп
이 : Частица, показывающая какое-либо состояние, объект ситуации или субъект действия.
뜨겁다 : горячий; жаркий
-니 : Соединительное окончание, указывающее на то, что содержание первой части предложения является причиной, обоснованием, предпосылкой того, о чём говорится во второй части предложения.
조심하다 : остерегаться; предостерегать; быть осторожным; быть осмотрительным
-세요 : (нейтрально-вежливый стиль) Финитное окончание предиката в повествовательном, вопросительном или побудительном предложении. <приказ>

(113) 차갑다 [chagapda]

холодный; ледяной

Вызывающий ощущение холода при прикосновении к телу.

이 물은 차갑지 않아요.
i mureun chagapji anayo.

이 물+은 차갑+[지 않]+아요.

이 : этот; это
물 : вода
은 : Частица, показывающая то, что какой-то объект является главной темой в предложении.
차갑다 : холодный; ледяной
-지 않다 : Выражение, обозначающее отрицание какого-либо действия или состояния.
-아요 : (нейтрально-вежливый стиль) Финитное окончание предиката в повествовательном, вопросительном или побудительном предложении. <изложение>

(114) 차다 [chada]

холодный

Имеющий низкую температуру.

저는 손이 찬 편이에요.

jeoneun soni chan pyeonieyo.

저+는 손+이 차+[ㄴ 편이]+에요.
찬 편이에요

저 : я
는 : Частица, указывающая на то, что какой-либо объект является основной темой в предложении.
손 : кисть; рука
이 : Частица, показывающая какое-либо состояние, объект ситуации или субъект действия.
차다 : холодный
-ㄴ 편이다 : Выражение, употребляемое при обозначении не столько конечной характеристики какого-либо объекта или явления, сколько его принадлежности или близости некому классу подобных объектов или явлений по определённому признаку.
-에요 : (нейтрально-вежливый стиль) Финитное окончание предиката в повествовательном или вопросительном предложении. <изложение>

(115) 밝다 [bakda]

ясный; яркий

Ярко светящийся светом.

조명이 너무 밝아서 눈이 부셔요.

jomyeongi neomu balgaseo nuni busyeoyo.

조명+이 너무 밝+아서 눈+이 부시+어요.
부셔요

조명 : свет
이 : Частица, показывающая какое-либо состояние, объект ситуации или субъект действия.
너무 : очень; чересчур

밝다 : ясный; яркий
-아서 : Соединительное окончание предиката, указывающее на причину или обоснование чего-либо.
눈 : глаз
이 : Частица, показывающая какое-либо состояние, объект ситуации или субъект действия.
부시다 : быть ослеплённым; ослеплять(ся)
-어요 : (нейтрально-вежливый стиль) Финитное окончание предиката в повествовательном, вопросительном или побудительном предложении. <изложение>

(116) 어둡다 [eodupda]

тёмный

Плохо освещённый из-за слабого света или его отсутствия.

해가 져서 밖이 어두워요.
haega jeoseo bakki eoduwoyo.

해+가 지+어서 밖+이 어둡(어두우)+어요.
져서 어두워요

해 : Солнце
가 : Окончание, указывающее на объект какой-либо ситуации, состояния или на лицо, выполняющее какое-либо действие.
지다 : заходить; затенять
-어서 : Соединительное окончание предиката, указывающее на причину или обоснование чего-либо.
밖 : снаружи; на природе
이 : Частица, показывающая какое-либо состояние, объект ситуации или субъект действия.
어둡다 : тёмный
-어요 : (нейтрально-вежливый стиль) Финитное окончание предиката в повествовательном, вопросительном или побудительном предложении. <изложение>

(117) 까맣다 [kkamata]

очень чёрный

Густо-чёрный, как ночное небо, без единого проблеска.

머리를 까맣게 염색했어요.
meorireul kkamake yeomsaekaesseoyo.

머리+를 까맣+게 염색하+였+어요.
염색했어요

머리 : волосы
를 : Частица, указывающая на объект, на который непосредственно распространяется влияние действия.
까맣다 : очень чёрный
-게 : Соединительное окончание предиката, указывающее на то, описанное в первой части предложения действие или состояние является целью, результатом, образом действия, степенью и т.п. того, о чём говорится в последующей главной части предложения.
염색하다 : окрашивать
-였- : Окончание, указывающее на полное завершение какого-либо события в прошлом и сохранения данного результата до настоящего времени.
-어요 : (нейтрально-вежливый стиль) Финитное окончание предиката в повествовательном, вопросительном или побудительном предложении. <изложение>

(118) 검다 [geomda]

чёрный

Тёмный и густой цвет, похожий на неосвещённое ночное небо.

햇볕에 살이 검게 탔어요.
haetbyeote sari geomge tasseoyo.

햇볕+에 살+이 검+게 타+았+어요.
탔어요

햇볕 : солнце; солнечный свет; солнечные лучи
에 : Окончание, указывающее на причину какого-либо дела.
살 : кожа
이 : Частица, показывающая какое-либо состояние, объект ситуации или субъект действия.
검다 : чёрный
-게 : Соединительное окончание предиката, указывающее на то, описанное в первой части предложения действие или состояние является целью, результатом, образом действия, степенью и т.п. того, о чём говорится в последующей главной части

предложения.
타다 : загорать
-았- : Окончание, указывающее на полное завершение какого-либо события в прошлом и со хранения данного результата до настоящего времени.
-어요 : (нейтрально-вежливый стиль) Финитное окончание предиката в повествовательном, вопросительном или побудительном предложении. <изложение>

(119) 노랗다 [norata]

жёлтый (цвет)

Цвет лимона или банана.

저 사람은 머리 색깔이 노래요.
jeo sarameun meori saekkkari noraeyo.

저 사람+은 머리 색깔+이 노랗+아요.
노래요

저 : вон тот (вон та, вон то)
사람 : человек
은 : Частица, показывающая то, что какой-то объект является главной темой в предложении.
머리 : волосы
색깔 : цвет
이 : Частица, показывающая какое-либо состояние, объект ситуации или субъект действия.
노랗다 : жёлтый (цвет)
-아요 : (нейтрально-вежливый стиль) Финитное окончание предиката в повествовательном, вопросительном или побудительном предложении. <изложение>

(120) 붉다 [bukda]

красный

Цвет, похожий на цвет крови или созревшего перца.

붉은 태양이 떠오르고 있어요.
bulgeun taeyangi tteooreugo isseoyo.

붉+은 태양+이 떠오르+[고 있]+어요.

붉다 : красный
-은 : Окончание, которое указывает на состояние лица или предмета в настоящем, преобразуя впередистоящее слово, словосочетание или придаточное предложение в определение.
태양 : Солнце
이 : Частица, показывающая какое-либо состояние, объект ситуации или субъект действия.
떠오르다 : подниматься; всходить
-고 있다 : Выражение, указывающее на длительность действия.
-어요 : (нейтрально-вежливый стиль) Финитное окончание предиката в повествовательном, вопросительном или побудительном предложении. <изложение>

(121) 빨갛다 [ppalgata]

красный

Ярко и насыщенно красный, подобный цвету крови или созревшего перца.

코가 왜 이렇게 빨개요?
koga wae ireoke ppalgaeyo?

코+가 왜 이렇+게 빨갛+아요?
빨개요

코 : нос
가 : Окончание, указывающее на объект какой-либо ситуации, состояния или на лицо, выполняющее какое-либо действие.
왜 : почему; зачем
이렇다 : такой
-게 : Соединительное окончание предиката, указывающее на то, описанное в первой части предложения действие или состояние является целью, результатом, образом действия, степенью и т.п. того, о чём говорится в последующей главной части предложения.
빨갛다 : красный
-아요 : (нейтрально-вежливый стиль) Финитное окончание предиката в повествовательном, вопросительном или побудительном предложении. <вопрос>

(122) 파랗다 [parata]

небесно-голубой

Светло-синий цвет, такой как осеннее небо в ясную погоду или глубокое море в тихую погоду.

왜 이마에 멍이 파랗게 들었어요?
wae imae meongi parake deureosseoyo?

왜 이마+에 멍+이 파랗+게 들+었+어요?

왜 : почему; зачем
이마 : лоб
에 : Окончание, указывающее на какое-либо место или пространство.
멍 : синяк
이 : Частица, показывающая какое-либо состояние, объект ситуации или субъект действия.
파랗다 : небесно-голубой
-게 : Соединительное окончание предиката, указывающее на то, описанное в первой части предложения действие или состояние является целью, результатом, образом действия, степенью и т.п. того, о чём говорится в последующей главной части предложения.
들다 : заболевать
-었- : Окончание, указывающее на полное завершение какого-либо события в прошлом и сохранения данного результата до настоящего времени.
-어요 : (нейтрально-вежливый стиль) Финитное окончание предиката в повествовательном, вопросительном или побудительном предложении. <вопрос>

(123) 푸르다 [pureuda]

голубой; зелёный

Чистый, ясный синий как осеннее небо, глубокое море и т.п. (о цвете).

바다가 넓고 푸르러요.
badaga neolgo pureureoyo.

바다+가 넓+고 푸르+어요(러요).
푸르러요

바다 : море
가 : Окончание, указывающее на объект какой-либо ситуации, состояния или на лицо, выполняющее какое-либо действие.
넓다 : широкий; просторный
-고 : Соединительное окончание предиката, используемое при перечислении двух и более равноправных фактов.
푸르다 : голубой; зелёный

-어요 : (нейтрально-вежливый стиль) Финитное окончание предиката в повествовательном, вопросительном или побудительном предложении. <изложение>

(124) 하얗다 [hayata]

белый; белёсый

Светлый и чистый как снег или молоко (о цвете).

눈이 내려서 세상이 하얗게 변했어요.

nuni naeryeoseo sesangi hayake byeonhaesseoyo.

눈+이 내리+어서 세상+이 하얗+게 변하+였+어요.

내려서 변했어요

눈 : снег

이 : Частица, показывающая какое-либо состояние, объект ситуации или субъект действия.

내리다 : идти

-어서 : Соединительное окончание предиката, указывающее на причину или обоснование чего-либо.

세상 : мир; свет

이 : Частица, показывающая какое-либо состояние, объект ситуации или субъект действия.

하얗다 : белый; белёсый

-게 : Соединительное окончание предиката, указывающее на то, описанное в первой части предложения действие или состояние является целью, результатом, образом действия, степенью и т.п. того, о чём говорится в последующей главной части предложения.

변하다 : изменяться; меняться

-였- : Окончание, указывающее на полное завершение какого-либо события в прошлом и сохранения данного результата до настоящего времени.

-어요 : (нейтрально-вежливый стиль) Финитное окончание предиката в повествовательном, вопросительном или побудительном предложении. <изложение>

(125) 희다 [hida]

белый

Светлый и яркий как снег или молоко.

동생은 얼굴이 희고 머리카락이 까매요.
dongsaengeun eolguri huigo meorikaragi kkamaeyo.

동생+은 얼굴+이 희+고 머리카락+이 까맣+아요.
까매요

동생 : младший брат или сестра
은 : Частица, показывающая то, что какой-то объект является главной темой в предложении.
얼굴 : лицо
이 : Частица, показывающая какое-либо состояние, объект ситуации или субъект действия.
희다 : белый
-고 : Соединительное окончание предиката, используемое при перечислении двух и более равноправных фактов.
머리카락 : волос
이 : Частица, показывающая какое-либо состояние, объект ситуации или субъект действия.
까맣다 : очень чёрный
-아요 : (нейтрально-вежливый стиль) Финитное окончание предиката в повествовательном, вопросительном или побудительном предложении. <изложение>

(126) 많다 [manta]

много

Численность, количество, уровень и т.п. превышает стандарты.

저는 호기심이 많아요.
jeoneun hogisimi manayo.

저+는 호기심+이 많+아요.

저 : я
는 : Частица, указывающая на то, что какой-либо объект является основной темой в предложении.
호기심 : любопытство
이 : Частица, показывающая какое-либо состояние, объект ситуации или субъект действия.
많다 : много

-아요 : (нейтрально-вежливый стиль) Финитное окончание предиката в повествовательном, вопросительном или побудительном предложении. <изложение>

(127) 부족하다 [bujokada]

недостаточный; неполный

Недоразвитый или недостаточный (о необходимом количестве или уровне).

사업을 하기에 돈이 많이 부족해요.
saeobeul hagie doni mani bujokaeyo.

사업+을 하+기+에 돈+이 많이 부족하+여요.
부족해요

사업 : работа; дело; предприятие; фирма
을 : Частица, указывающая на объект, на который действие оказывает непосредственное влияние.
하다 : делать
-기 : Окончание, позволяющее впередистоящему слову или выражению выполнять функцию имени существительного.
에 : Окончание, указывающее на состояние, окружение, условие и т.д. чего-либо.
돈 : деньги
이 : Частица, показывающая какое-либо состояние, объект ситуации или субъект действия.
많이 : много
부족하다 : недостаточный; неполный
-여요 : (нейтрально-вежливый стиль) Финитное окончание предиката в повествовательном, вопросительном или побудительном предложении. <изложение>

(128) 적다 [jeokda]

немногочисленный; небольшой; маленький

Не доходящий до определённого стандарта (о количестве, объёме, степени).

배고픈데 음식 양이 너무 적어요.
baegopeunde eumsik yangi neomu jeogeoyo.

배고프+ㄴ데 음식 양+이 너무 적+어요.
배고픈데

배고프다 : голодный
-ㄴ데 : Соединительное окончание, вводящее некую предварительную информацию об объекте, о котором говорится в последующей части предложения.
음식 : пища
양 : количество; объём; число; величина
이 : Частица, показывающая какое-либо состояние, объект ситуации или субъект действия.
너무 : очень; чересчур
적다 : немногочисленный; небольшой; маленький
-어요 : (нейтрально-вежливый стиль) Финитное окончание предиката в повествовательном, вопросительном или побудительном предложении. <изложение>

(129) 낫다 [natda]

лучший (в значении "лучше, чем что-то")

Более хороший (при сравнении двух объектов).

몸이 아플 때에는 쉬는 것이 제일 나아요.

momi apeul ttaeeneun swineun geosi jeil naayo.

몸+이 아프+[ㄹ 때]+에+는 쉬+[는 것]+이 제일 낫(나)+아요.
아플 때에는 나아요

몸 : тело; туловище
이 : Частица, показывающая какое-либо состояние, объект ситуации или субъект действия.
아프다 : болеть
-ㄹ 때 : Выражение, указывающее на момент или период во времени, когда происходит некое событие, либо случай возникновения такого события.
에 : Окончание, указывающее на время или период времени.
는 : Частица, указывающая на то, что какой-либо объект является основной темой в предложении.
쉬다 : отдыхать
-는 것 : Выражение, субстантивирующее предшествующее слово неименной части речи или группу слов, которое также может употребляться с глаголом-связкой ‘이다’.
이 : Частица, показывающая какое-либо состояние, объект ситуации или субъект действия.
제일 : самый; первичный
낫다 : лучший (в значении "лучше, чем что-то")
-아요 : (нейтрально-вежливый стиль) Финитное окончание предиката в повествовательном, вопросительном или побудительном предложении. <изложение>

(130) 분명하다 [bunmyeonghada]

ясный

Немутный; чёткий (об образе, звуке).

크고 분명한 목소리로 말해 주세요.

keugo bunmyeonghan moksoriro malhae juseyo.

크+고 분명하+ㄴ 목소리+로 말하+[여 주]+세요.

분명한 말해 주세요

크다 : громкий

-고 : Соединительное окончание предиката, используемое при перечислении двух и более равноправных фактов.

분명하다 : ясный

-ㄴ : Окончание, указывающее на состояние лица или предмета в настоящий момент, при котором впередистоящее слово, словосочетание или придаточное предложение выполняет функцию определения.

목소리 : голос

로 : Частица, указывающая на способ или метод для выполнения какой-либо работы.

말하다 : говорить

-여 주다 : Выражение, указывающее на то, что описанное действие выполняется в интересах другого лица.

-세요 : (нейтрально-вежливый стиль) Финитное окончание предиката в повествовательном, вопросительном или побудительном предложении. <просьба>

(131) 심하다 [simhada]

сильный; большой; страшный

Превосходящий норму или обычный уровень.

감기에 심하게 걸렸어요.

gamgie simhage geollyeosseoyo.

감기+에 심하+게 걸리+었+어요.

걸렸어요

감기 : простуда; грипп

에 : Окончание, указывающее на объект какого-либо действия, чувства и т.п.

심하다 : сильный; большой; страшный
-게 : Соединительное окончание предиката, указывающее на то, описанное в первой части предложения действие или состояние является целью, результатом, образом действия, степенью и т.п. того, о чём говорится в последующей главной части предложения.
걸리다 : Заболевать.
-었- : Окончание, указывающее на полное завершение какого-либо события в прошлом и сохранения данного результата до настоящего времени.
-어요 : (нейтрально-вежливый стиль) Финитное окончание предиката в повествовательном, вопросительном или побудительном предложении. <изложение>

(132) 알맞다 [almatda]

подходящий; соответствующий

Достаточный, отвечающий определённым стандартам и условиям, не превышающий норму.

물 온도가 목욕하기에 딱 알맞아요.
mul ondoga mogyokagie ttak almajayo.

물 온도+가 목욕하+기+에 딱 알맞+아요.

물 : вода
온도 : температура
가 : Окончание, указывающее на объект какой-либо ситуации, состояния или на лицо, выполняющее какое-либо действие.
목욕하다 : купаться; мыться; принимать ванну
-기 : Окончание, позволяющее впередистоящему слову или выражению выполнять функцию имени существительного.
에 : Окончание, указывающее на состояние, окружение, условие и т.д. чего-либо.
딱 : О точном соответствии количества, размера, ситуации и т.п.
알맞다 : подходящий; соответствующий
-아요 : (нейтрально-вежливый стиль) Финитное окончание предиката в повествовательном, вопросительном или побудительном предложении. <изложение>

(133) 적당하다 [jeokdanghada]

подходящий; соответствующий; надлежащий; пригодный; уместный

Соответствующий какому-либо уровню, условию или стандарту.

하루 수면 시간은 일곱 시간 정도가 적당해요.
haru sumyeon siganeun ilgop sigan jeongdoga jeokdanghaeyo.

하루 수면 시간+은 일곱 시간 정도+가 적당하+여요.
적당해요

하루 : день; сутки
수면 : сон
시간 : пора
은 : Частица, показывающая то, что какой-то объект является главной темой в предложении.
일곱 : семь
시간 : час
정도 : примерно; около
가 : Окончание, указывающее на объект какой-либо ситуации, состояния или на лицо, выполняющее какое-либо действие.
적당하다 : подходящий; соответствующий; надлежащий; пригодный; уместный
-여요 : (нейтрально-вежливый стиль) Финитное окончание предиката в повествовательном, вопросительном или побудительном предложении. <изложение>

(134) 정확하다 [jeonghwakada]

верный; правильный; точный

Правильный и достоверный.

정확한 한국어 발음을 하고 싶어요.
jeonghwakan hangugeo bareumeul hago sipeoyo.

정확하+ㄴ 한국어 발음+을 하+[고 싶]+어요.
정확한

정확하다 : верный; правильный; точный
-ㄴ : Окончание, указывающее на состояние лица или предмета в настоящий момент, при котором впередистоящее слово, словосочетание или придаточное предложение выполняет функцию определения.
한국어 : корейский язык
발음 : произношение

을 : Частица, указывающая на объект, на который действие оказывает непосредственное влияние.
하다 : Выполнять какое-либо действие, движение, работу и т.п.
-고 싶다 : Выражение, указывающее на желание говорящего совершить какое-либо действие.
-어요 : (нейтрально-вежливый стиль) Финитное окончание предиката в повествовательном, вопросительном или побудительном предложении. <изложение>

(135) 중요하다 [jungyohada]

важный

Имеющий большое значение и необходимость.

살을 뺄 때는 운동이 중요해요.
sareul ppael ttaeneun undongi jungyohaeyo.

살+을 빼+[ㄹ 때]+는 운동+이 중요하+여요.
뺄 때는 중요해요

살 : плоть; мясо; мышцы; кожа
을 : Частица, указывающая на объект, на который действие оказывает непосредственное влияние.
빼다 : убрать; уменьшить
-ㄹ 때 : Выражение, указывающее на момент или период во времени, когда происходит некое событие, либо случай возникновения такого события.
는 : Частица, указывающая на то, что какой-либо объект является основной темой в предложении.
운동 : спорт; физическая культура
이 : Частица, показывающая какое-либо состояние, объект ситуации или субъект действия.
중요하다 : важный
-여요 : (нейтрально-вежливый стиль) Финитное окончание предиката в повествовательном, вопросительном или побудительном предложении. <изложение>

(136) 진하다 [jinhada]

густой

Имеющий густую концентрацию из-за малого количества жидкости.

커피가 너무 진해요.
keopiga neomu jinhaeyo.

커피+가 너무 진하+여요.
진해요

커피 : кофе
가 : Окончание, указывающее на объект какой-либо ситуации, состояния или на лицо, выполняющее какое-либо действие.
너무 : очень; чересчур
진하다 : густой
-여요 : (нейтрально-вежливый стиль) Финитное окончание предиката в повествовательном, вопросительном или побудительном предложении. <изложение>

(137) 충분하다 [chungbunhada]

достаточный

Удовлетворяющий потребностям.

저는 이 빵 하나면 충분해요.
jeoneun i ppang hanamyeon chungbunhaeyo.

저+는 이 빵 하나+이+면 충분하+여요.
하나면 충분해요

저 : я
는 : Частица, указывающая на то, что какой-либо объект является основной темой в предложении.
이 : этот; это
빵 : хлеб
하나 : один
이다 : Суффикс повествовательного падежа, выражающий смысл наименования свойства или разряда объекта, на который указывает подлежащее.
-면 : Соединительное окончание предиката, присоединяющее придаточное условия, указывающее на то, что является обоснованием или условием того, о чем говорится во второй части предложения.
충분하다 : достаточный
-여요 : (нейтрально-вежливый стиль) Финитное окончание предиката в повествовательном, вопросительном или побудительном предложении. <изложение>

필수(обязательный)

문법(грамматика)

1. 모음 : 사람이 목청을 울려 내는 소리로, 공기의 흐름이 방해를 받지 않고 나는 소리.

гласный звук

Звук, издающийся из гортани человека потоком воздуха, не встречающего на пути преграды.

(1) ㅏ : 한글 자모의 열다섯째 글자. 이름은 '아'이고 중성으로 쓴다.

Пятнадцатая буква корейского алфавита, название буквы 'а'. Буква занимает среднюю позицию при написании слога.

(2) ㅑ : 한글 자모의 열여섯째 글자. 이름은 '야'이고 중성으로 쓴다.

Шестнадцатая буква корейского алфавита, название буквы 'я'. Буква занимает среднюю позицию при написании слога.

(3) ㅓ : 한글 자모의 열일곱째 글자. 이름은 '어'이고 중성으로 쓴다.

Семнадцатая буква корейского алфавита, название буквы 'о'. Буква занимает среднюю позицию при написании слога.

(4) ㅕ : 한글 자모의 열여덟째 글자. 이름은 '여'이고 중성으로 쓴다.

Восемнадцатая буква корейского алфавита, название буквы 'ё'. Буква занимает среднюю позицию при написании слога.

(5) ㅗ : 한글 자모의 열아홉째 글자. 이름은 '오'이고 중성으로 쓴다.

Девятнадцатая буква корейского алфавита, обозначающая гласный звук [о].

(6) ㅛ : 한글 자모의 스무째 글자. 이름은 '요'이고 중성으로 쓴다.

Двадцатая буква корейского алфавита, название буквы 'ё'. Буква занимает среднюю позицию при написании слога.

(7) ㅜ : 한글 자모의 스물한째 글자. 이름은 '우'이고 중성으로 쓴다.

Двадцать первая буква корейского алфавита, название буквы 'у'. Буква занимает среднюю позицию при написании слога.

(8) ㅠ : 한글 자모의 스물두째 글자. 이름은 '유'이고 중성으로 쓴다.

Двадцать вторая буква корейского алфавита, название буквы 'ю'. Буква занимает среднюю позицию при написании слога.

(9) ㅡ : 한글 자모의 스물셋째 글자. 이름은 '으'이고 중성으로 쓴다.

Двадцать третья буква корейского алфавита, название буквы 'ы'. Буква занимает среднюю позицию при написании слога.

(10) ㅣ : 한글 자모의 스물넷째 글자. 이름은 '이'이고 중성으로 쓴다.

Двадцать четвёртая буква корейского алфавита. Название буквы 'и'. Буква занимает среднюю позицию при написании слога.

(11) ㅚ : 한글 자모 'ㅗ'와 'ㅣ'를 모아 쓴 글자. 이름은 '외'이고 중성으로 쓴다.

Буква, являющаяся сочетанием букв 'ㅗ' и 'ㅣ', обозначающая гласный дифтонг [ye].

(12) ㅟ : 한글 자모 'ㅜ'와 'ㅣ'를 모아 쓴 글자. 이름은 '위'이고 중성으로 쓴다.

Буква, являющаяся сочетанием букв 'ㅜ' и 'ㅣ', обозначающая гласный дифтонг [уи].

(13) ㅐ : 한글 자모 'ㅏ'와 'ㅣ'를 모아 쓴 글자. 이름은 '애'이고 중성으로 쓴다.

Буква, являющаяся сочетанием букв 'ㅏ' и 'ㅣ', название буквы 'э'. Буква занимает среднюю позицию при написании слога.

(14) ㅔ : 한글 자모 'ㅓ'와 'ㅣ'를 모아 쓴 글자. 이름은 '에'이고 중성으로 쓴다.

Буква, являющаяся сочетанием букв 'ㅓ' и'ㅣ', название буквы 'э'. Буква занимает среднюю позицию при написании слога.

(15) ㅒ : 한글 자모 'ㅑ'와 'ㅣ'를 모아 쓴 글자. 이름은 '얘'이고 중성으로 쓴다.

Буква, являющаяся сочетанием букв 'ㅑ' и'ㅣ', название буквы 'е'. Буква занимает среднюю позицию при написании слога.

(16) ㅖ : 한글 자모 'ㅕ'와 'ㅣ'를 모아 쓴 글자. 이름은 '예'이고 중성으로 쓴다.

Буква, являющаяся сочетанием букв 'ㅕ' и 'ㅣ', название буквы 'е'. Буква занимает среднюю позицию при написании слога.

(17) ㅘ : 한글 자모 'ㅗ'와 'ㅏ'를 모아 쓴 글자. 이름은 '와'이고 중성으로 쓴다.

Буква, являющаяся сочетанием букв 'ㅗ' и 'ㅏ', обозначающая гласный дифтонг [уа].

(18) ㅝ : 한글 자모 'ㅜ'와 'ㅓ'를 모아 쓴 글자. 이름은 '워'이고 중성으로 쓴다.

Буква, являющаяся сочетанием букв 'ㅜ' и 'ㅓ', обозначающая гласный дифтонг [уо].

(19) ㅙ : 한글 자모 'ㅗ'와 'ㅐ'를 모아 쓴 글자. 이름은 '왜'이고 중성으로 쓴다.

Буква, являющаяся сочетанием букв 'ㅗ' и 'ㅐ', обозначающая гласный дифтонг [уэ].

(20) ㅞ : 한글 자모 'ㅜ'와 'ㅔ'를 모아 쓴 글자. 이름은 '웨'이고 중성으로 쓴다.

Буква, являющаяся сочетанием букв 'ㅜ' и ''ㅔ', обозначающая гласный дифтонг [уе].

(21) ㅢ : 한글 자모 'ㅡ'와 'ㅣ'를 모아 쓴 글자. 이름은 '의'이고 중성으로 쓴다.

Буква, являющаяся сочетанием букв 'ㅡ' и 'ㅣ', обозначающая гласный дифтонг [ый].

ㅏ	ㅓ	ㅗ	ㅜ	ㅡ	ㅣ	ㅐ	ㅔ	ㅚ	ㅟ

ㅑ	ㅕ	ㅛ	ㅠ	ㅒ	ㅖ	ㅘ	ㅝ	ㅙ	ㅞ	ㅢ

ㅣ + ㅏ = ㅑ　ㅣ + ㅓ = ㅕ　ㅣ + ㅗ = ㅛ　ㅣ + ㅜ = ㅠ

ㅗ + ㅏ = ㅘ　ㅜ + ㅓ = ㅝ　ㅗ + ㅐ = ㅙ　ㅜ + ㅔ = ㅞ

ㅡ + ㅣ = ㅢ

ㅏ	ㅑ	ㅓ	ㅕ	ㅗ	ㅛ	ㅜ	ㅠ	ㅡ	ㅣ
a	ya	eo	yeo	o	yo	u	yu	eu	i

ㅐ	ㅔ	ㅒ	ㅖ	ㅙ	ㅞ	ㅚ	ㅟ	ㅘ	ㅝ	ㅢ
ae	e	yae	ye	wae	we	oe	wi	wa	wo	ui

2. 자음 : 목, 입, 혀 등의 발음 기관에 의해 장애를 받으며 나는 소리.

согласный звук

Звук, издающийся, когда воздушный поток проходит через препятствие, создаваемое горлом, ротовой полостью, языком и т.п.

(1) ㄱ : 한글 자모의 첫째 글자. 이름은 기역으로 소리를 낼 때 혀뿌리가 목구멍을 막는 모양을 본떠 만든 글자이다.

Первая буква корейского алфавита. Название буквы 'киёк'. Графическая форма буквы образована по форме языка, которую он принимает при образовании звука, передаваемого данной буквой. А именно, при образовании данного звука корень языка приподнимается и закрывает гортань.

(2) ㄴ : 한글 자모의 둘째 글자. 이름은 '니은'으로 소리를 낼 때 혀끝이 윗잇몸에 붙는 모양을 본떠 만든 글자이다.

Вторая буква корейского алфавита. Название буквы 'ниын'. Графическая форма буквы образована по форме языка, которую он принимает при образовании звука, обозначенного данной буквой. А именно, при образовании данного звука кончик языка приподнимается и прислоняется к верхним альвеолам.

(3) ㄷ : 한글 자모의 셋째 글자. 이름은 '디귿'으로, 소리를 낼 때 혀의 모습은 'ㄴ'과 같지만 더 세게 발음되므로 한 획을 더해 만든 글자이다.

Третья буква корейского алфавита. Название буквы 'тигыд'. Графическая форма буквы образована путём добавления одной черты к букве 'ㄴ(н)', так как форма языка при образовании звука, обозначаемого данной буквой, напоминает форму языка при образовании звука, обозначаемого буквы 'ㄴ(н)', но произносится с большей силой.

(4) ㄹ : 한글 자모의 넷째 글자. 이름은 '리을'로 혀끝을 윗잇몸에 가볍게 대었다가 떼면서 내는 소리를 나타낸다.

Четвёртая буква корейского алфавита. Буква имеет название "риыль" и при образовании соответствующего звука кончик языка слегка прислоняется к верхнему нёбу и тут же отрывается от него.

(5) ㅁ : 한글 자모의 다섯째 글자. 이름은 '미음'으로, 소리를 낼 때 다물어지는 두 입술 모양을 본떠서 만든 글자이다.

Пятая буква корейского алфавита. Название буквы "миым". Графическая форма буквы создана по форме сомкнутых губ, которую они принимают при образовании данного звука.

(6) ㅂ : 한글 자모의 여섯째 글자. 이름은 '비읍'으로, 소리를 낼 때의 입술 모양은 'ㅁ'과 같지만 더 세게 발음되므로 'ㅁ'에 획을 더해서 만든 글자이다.

Шестая буква корейского алфавита. Название буквы 'биып'. Графическая форма буквы образована путём добавления черт к букве 'ㅁ(м)', так как форма губ при образовании звука, обозначаемого данной буквой напоминает форму губ при образовании звука, обозначаемого буквой 'ㅁ(м)', но произносится с большей силой.

(7) ㅅ : 한글 자모의 일곱째 글자. 이름은 '시옷'으로 이의 모양을 본떠서 만든 글자이다.

Седьмая буква корейского алфавита. Название буквы 'сиот'. Графическая форма буквы создана по форме зубов, которую они принимают при образовании звука, обозначенного данной буквой.

(8) ㅇ : 한글 자모의 여덟째 글자. 이름은 '이응'으로 목구멍의 모양을 본떠서 만든 글자이다. 초성으로 쓰일 때 소리가 없다.

Восьмая буква корейского алфавита. Название буквы 'иын'. Графическая форма буквы образована по форме гортани, которую она принимает при образовании звука, обозначаемого данной буквой. Данная буква не передаёт никакой звук, если занимает начальную позицию при написании слога.

(9) ㅈ : 한글 자모의 아홉째 글자. 이름은 '지읒'으로, 'ㅅ'보다 소리가 더 세게 나므로 'ㅅ'에 한 획을 더해 만든 글자이다.

Девятая буква корейского алфавита. Название буквы 'чжиыт'. Графическая форма буквы образована путём добавления одной черты к букве 'ㅅ(с)', так как данный звук произносится с большей силой, чем 'ㅅ(с)'.

(10) ㅊ : 한글 자모의 열째 글자. 이름은 '치읓'으로 '지읒'보다 소리가 거세게 나므로 '지읒'에 한 획을 더해서 만든 글자이다.

Десятая буква корейского алфавита. Название буквы 'чхиыт'. Графическая форма буквы образована путём добавления черты к букве 'ㅈ(чж)', так как данный звук произносится с большим придыханием, чем звук обозначаемый буквой 'ㅈ(чж)'.

(11) ㅋ : 한글 자모의 열한째 글자. 이름은 '키읔'으로 'ㄱ'보다 소리가 거세게 나므로 'ㄱ'에 한 획을 더하여 만든 글자이다.

Одиннадцатая буква корейского алфавита. Название буквы 'кхиык'. Графическая форма буквы образована путём добавления черты к букве 'ㄱ(к)', так как данный звук произносится с большим придыханием, чем звук обозначаемый буквой 'ㄱ(к)'.

12) ㅌ : 한글 자모의 열두째 글자. 이름은 '티읕'으로, 'ㄷ'보다 소리가 거세게 나므로 'ㄷ'에 한 획을 더 하여 만든 글자이다.

Двенадцатая буква корейского алфавита. Название буквы 'тхиыт'. Графическая форма буквы образована путём добавления черты к букве 'ㄷ(д)', так как данный звук произносится с большим придыханием, чем звук обозначаемый буквой 'ㄷ(д)'.

(13) ㅍ : 한글 자모의 열셋째 글자. 이름은 '피읖'으로, 'ㅁ, ㅂ'보다 소리가 거세게 나므로 'ㅁ'에 획을 더 하여 만든 글자이다.

Тринадцатая буква корейского алфавита. Название буквы 'пхиып'. Графическая форма буквы образована путём добавления черт к букве 'ㅁ(м)', так как данный звук произносится с большим придыханием, чем звук обозначаемый буквами 'ㅁ(м)' и 'ㅂ(б)'.

(14) ㅎ : 한글 자모의 열넷째 글자. 이름은 '히읗'으로, 이 글자의 소리는 목청에서 나므로 목구멍을 본떠 만든 'ㅇ'의 경우와 같지만 'ㅇ'보다 더 세게 나므로 'ㅇ'에 획을 더하여 만든 글자이다.

Четырнадцатая буква корейского алфавита. Придыхательный звук, который образуется в той же позиции, где образуется звук 'ㅇ'.

(15) ㄲ : 한글 자모 'ㄱ'을 겹쳐 쓴 글자. 이름은 쌍기역으로, 'ㄱ'의 된소리이다.

Буква, состоящая из двух букв 'ㄱ(к)' корейского алфавита. Название буквы 'ссанкиёк'. Передает гиминированный звук 'ㄱ(к)'.

(16) ㄸ : 한글 자모 'ㄷ'을 겹쳐 쓴 글자. 이름은 쌍디귿으로, 'ㄷ'의 된소리이다.

Буква, состоящая из соединения двух согласных 'ㄷ(д)'. Название буквы 'ссантигыд'. Передаёт ильный согласный звук от 'ㄷ(д)'.

(17) ㅃ : 한글 자모 'ㅂ'을 겹쳐 쓴 글자. 이름은 쌍비읍으로, 'ㅂ'의 된소리이다.

Буква, состоящая из соединения двух согласных 'ㅂ(б)'. Название буквы 'ссанбиып'. Сильный согласный звук от 'ㅂ(б)'.

(18) ㅆ : 한글 자모 'ㅅ'을 겹쳐 쓴 글자. 이름은 쌍시옷으로, 'ㅅ'의 된소리이다.

Буква, состоящая из соединения двух согласных 'ㅅ(с)'. Название буквы 'ссансиот'. Сильный согласный звук от 'ㅅ(с)'.

(19) ㅉ : 한글 자모 'ㅈ'을 겹쳐 쓴 글자. 이름은 쌍지읒으로, 'ㅈ'의 된소리이다.

Буква, состоящая из соединения двух согласных 'ㅈ(чж)'. Название буквы 'ссанчжиыт'. Передаёт сильный согласный звук от 'ㅈ(чж)'.

ㄱ	ㄴ	ㄷ	ㄹ	ㅁ	ㅂ	ㅅ	ㅇ	ㅈ	ㅊ	ㅋ	ㅌ	ㅍ	ㅎ
g,k	n	d,t	r,l	m	b,p	s	ng	j	ch	k	t	p	h

ㄲ	ㄸ	ㅃ	ㅆ	ㅉ
kk	tt	pp	ss	jj

ㄱ	ㄴ	ㄷ	ㄹ	ㅁ	ㅂ	ㅅ	ㅇ	ㅈ	ㅎ
ㅋ		ㅌ			ㅍ			ㅊ	
ㄲ		ㄸ			ㅃ	ㅆ		ㅉ	

3. 음절 : 모음, 모음과 자음, 자음과 모음, 자음과 모음과 자음이 어울려 한 덩어리로 내는 말소리의 단위.

слог
Минимальная произносимая единица речи, состоящая из одного или нескольких звуков (например гласный, гласный и согласный, согласный и гласный, согласный, гласный и согласный), которые образуют тесное фонетическое единство.

1) 모음(гласный звук)

예 (пример) : 아, 어, 오, 우……

2) 자음(согласный звук) + 모음(гласный звук)

예 (пример) : 가, 도, 루, 슈……

3) 모음(гласный звук) + 자음(согласный звук)

예 (пример) : 악, 얍, 임, 윤……

4) 자음(согласный звук) + 모음(гласный звук) + 자음(согласный звук)

예 (пример) : 각, 남, 당, 균……

	ㄱ	ㄴ	ㄷ	ㄹ	ㅁ	ㅂ	ㅅ	ㅇ	ㅈ	ㅊ	ㅋ	ㅌ	ㅍ	ㅎ
ㅏ	가	나	다	라	마	바	사	아	자	차	카	타	파	하
ㅓ	거	너	더	러	머	버	서	어	저	처	커	터	퍼	허
ㅗ	고	노	도	로	모	보	소	오	조	초	코	토	포	호
ㅜ	구	누	두	루	무	부	수	우	주	추	쿠	투	푸	후
ㅡ	그	느	드	르	므	브	스	으	즈	츠	크	트	프	흐
ㅣ	기	니	디	리	미	비	시	이	지	치	키	티	피	히
ㅐ	개	내	대	래	매	배	새	애	재	채	캐	태	패	해
ㅔ	게	네	데	레	메	베	세	에	제	체	케	테	페	헤
ㅚ	괴	뇌	되	뢰	뫼	뵈	쇠	외	죄	최	쾨	퇴	푀	회
ㅟ	귀	뉘	뒤	뤼	뮈	뷔	쉬	위	쥐	취	퀴	튀	퓌	휘
ㅑ	갸	냐	댜	랴	먀	뱌	샤	야	쟈	챠	캬	탸	퍄	햐
ㅕ	겨	녀	뎌	려	며	벼	셔	여	져	쳐	켜	텨	펴	혀
ㅛ	교	뇨	됴	료	묘	뵤	쇼	요	죠	쵸	쿄	툐	표	효
ㅠ	규	뉴	듀	류	뮤	뷰	슈	유	쥬	츄	큐	튜	퓨	휴
ㅒ	걔	냬	댸	럐	먜	뱨	섀	얘	쟤	챼	컈	턔	퍠	햬
ㅖ	계	녜	뎨	례	몌	볘	셰	예	졔	쳬	켸	톄	폐	혜
ㅘ	과	놔	돠	롸	뫄	봐	솨	와	좌	촤	콰	톼	퐈	화
ㅝ	궈	눠	둬	뤄	뭐	붜	숴	워	줘	춰	쿼	퉈	풔	훠
ㅙ	괘	놰	돼	뢔	뫠	봬	쇄	왜	좨	쵀	쾌	퇘	퐤	홰
ㅞ	궤	눼	뒈	뤠	뭬	붸	쉐	웨	줴	췌	퀘	퉤	풰	훼
ㅢ	긔	늬	듸	릐	믜	븨	싀	의	즤	츼	킈	틔	픠	희

4. 품사 : 단어를 기능, 형태, 의미에 따라 나눈 갈래.

часть речи
Разделение слов по функции, форме и значению.

• **체언** : 문장에서 명사, 대명사, 수사와 같이 문장의 주어나 목적어 등의 기능을 하는 말.

именные части речи
Такие слова, как существительное, местоимение, числительное, выполняющие в предложении функции подлежащего, дополнения и т.п.

• **용언** : 문법에서, 동사나 형용사와 같이 문장에서 서술어의 기능을 하는 말.

предикатив
В грамматике, глаголы, прилагательные и т.п. слова, играющие в предложении роль сказуемого.

1) **본용언** : 문장의 주체를 주되게 서술하면서 보조 용언의 도움을 받는 용언.

основной предикатив
Предикатив, описывающий основную идею предложения и поддерживаемый вспомогательным предикативом.

2) **보조 용언** : 본용언과 연결되어 그 뜻을 보충해 주는 용언.

вспомогательный предикатив
Вспомогательные глаголы и прилагательные, употребляющиеся с главными глаголами и прилагательными и несущие дополнительную смысловую нагрузку.

• **수식언** : 문법에서, 관형어나 부사어와 같이 뒤에 오는 체언이나 용언을 꾸미거나 한정하는 말.

определение
(грамм.) Дополнительное объяснение для дополнения, выраженное прилагательным или наречием.

1. **명사** : 사물의 이름을 나타내는 품사.

имя существительное
Самостоятельная часть речи, обозначающая предмет.

2. **대명사** : 다른 명사를 대신하여 사람, 장소, 사물 등을 가리키는 낱말.

местоимение
Часть речи, указывающая на какое-либо лицо, место, предмет и т.п., и заменяющая именные части речи.

3. **수사** : 수량이나 순서를 나타내는 말.

имя числительное; счёт
Слово, обозначающее количество или порядок.

4. **동사** : 사람이나 사물의 움직임을 나타내는 품사.

глагол
Часть речи, которая выражает действие человека или предмета.

5. **형용사** : 사람이나 사물의 성질이나 상태를 나타내는 품사.

имя прилагательное
Часть речи, выражающая характер или состояние человека или предмета.

• **활용** : 문법적 관계를 나타내기 위해 용언의 꼴을 조금 바꿈.

нет эквивалента
Формоизменения глагола и имени прилагательного с целью выявления грамматических отношений в корейском языке.

1) **규칙 활용** : 문법에서, 동사나 형용사가 활용을 할 때 어간의 형태가 변하지 않고 일반적인 어미가 붙어 변화하는 것.

спряжение глагола или склонение имени прилагательного
В грамматике изменение окончания глагола или имени прилагательного согласно грамматическим правилам.

2) **불규칙 활용** : 문법에서, 동사나 형용사가 활용을 할 때 어간의 형태가 변하거나 예외적인 어미가 붙어 변화하는 것.

неправильное склонение глагола или имени прилагательного
(грамм.) Изменение корня или окончания глагола или имени прилагательного, не по общепринятым грамматическим правилам.

활용(нет эквивалента) 형태(форма)	어간(основа) + 어미(окончание)	불규칙(нерегулярность) 부분(часть)	불규칙 용언 (неправильный предикат)
물어	묻- + -어	묻- → 물-	싣다, 붇다, 일컫다···
지어	짓- + -어	짓- → 지-	젓다, 붓다, 잇다···
누워	눕- + -어	눕- → 누우	줍다, 굽다, 깁다···
흘러	흐르- + -어	흐르- → 흘ㄹ	부르다, 타오르다, 누르다···
하얘	하얗- + -아	-얗어- → 얘	빨갛다, 까맣다, 뽀얗다···

1) **어간** : 동사나 형용사가 활용할 때에 변하지 않는 부분.

основа
Неизменяемая часть глагола, имени прилагательного.

2) **어미** : 용언이나 '-이다'에서 활용할 때 형태가 달라지는 부분.

окончание
Непостоянная часть предикатива, употребляется для изменения форм предикатива и связки ′이다′.

① **어말 어미** : 동사, 형용사, 서술격 조사가 활용될 때 맨 뒤에 오는 어미.

заключительное окончание
Окончание, расположенное в самом конце при применении глагола, прилагательного, суффикса повествовательного падежа.

㉠ **종결 어미** : 한 문장을 끝맺는 기능을 하는 어말 어미.

заключительное окончание
Окончание, выполняющее функцию завершаемости конечного сказуемого в каком-либо предложении.

㉡ **전성 어미** : 동사나 형용사의 어간에 붙어 동사나 형용사가 명사, 관형사, 부사와 같은 다른 품사의 기능을 가지도록 하는 어미.

трансформационное окончание
Окончания, присоединяющиеся к основе глагола или прилагательного, благодаря которым глагол или прилагательное получают функции других частей речи, таких как существительное, атрибутивное прилагательное или наречие.

㉢ **연결 어미** : 어간에 붙어 다음 말에 연결하는 기능을 하는 어미.

соединительное окончание
Окончание слова, которое присоединяется к корню и служит для подсоединения последующего выражения.

② **선어말 어미** : 어말 어미 앞에 놓여 높임이나 시제 등을 나타내는 어미.

суффикс; аффикс
(лингв.) Морфема, ставящаяся перед заключительным окончанием, выражающая вежливую форму, время и т.п.

<table>
<tr><th colspan="3">어미 (окончание)</th><th colspan="2">예 (пример)</th></tr>
<tr><td rowspan="12">어말 어미
(заключительное окончание)</td><td rowspan="5">종결 어미
(заключительное окончание)</td><td>서술형
(дескрипти́вный форма)</td><td colspan="2">-다, -네, -ㅂ니다/습니다…</td></tr>
<tr><td>의문형
(вопросительная форма)</td><td colspan="2">-는가, -니, -ㄹ까…</td></tr>
<tr><td>감탄형
(восклицательная форма)</td><td colspan="2">-구나, -네…</td></tr>
<tr><td>명령형
(повелительное наклонение)</td><td colspan="2">-(으)세요, -어라/-아라/-여라</td></tr>
<tr><td>청유형
(нет эквивалента)</td><td colspan="2">-자, -ㅂ시다/-읍시다, -세…</td></tr>
<tr><td>연결 어미
(соединительное окончание)</td><td colspan="3">-고, -며/으며, -지만, -거나, -어서, -려고/-으려고, -면/-으면…</td></tr>
<tr><td rowspan="6">전성 어미
(трансформационное окончание)</td><td>명사형 어미
(окончание существительного)</td><td colspan="2">-ㅁ/-음, -기</td></tr>
<tr><td rowspan="4">관형사형 어미
(причастные окончания)</td><td>과거
(прошедшее время)</td><td>-ㄴ/-은</td></tr>
<tr><td>현재
(настоящее время)</td><td>-는</td></tr>
<tr><td>미래
(будущее время)</td><td>-ㄹ/-을</td></tr>
<tr><td>중단/반복
(перерыв/повторение)</td><td>-던</td></tr>
<tr><td>부사형 어미
(наречное окончание)</td><td colspan="2">-게, -도록, -듯이, -이</td></tr>
<tr><td rowspan="5">선어말 어미
(суффикс)</td><td colspan="2">주체(субъект)
높임(вежливая форма обращения)</td><td colspan="2">-시-/-으시-</td></tr>
<tr><td colspan="2" rowspan="4">시제
((грам.) время)</td><td>과거
(прошедшее время)</td><td>-았-/-었-/-였-</td></tr>
<tr><td>현재
(настоящее время)</td><td>-ㄴ-/-는-</td></tr>
<tr><td>미래
(настоящее время)</td><td>-ㄹ-/-을-</td></tr>
<tr><td>회상
(воспоминания)</td><td>-더-</td></tr>
</table>

※ 청유형 : Форма глагола, состоящая из его основы и окончания, указывающего на то, что говорящий просит слушающего совместно выполнить какое-либо действие.

6. **관형사** : 체언 앞에 쓰여 그 체언의 내용을 꾸며 주는 기능을 하는 말.

атрибутивное слово; атрибут
Слово или фраза, употребляющиеся перед именами существительными и обозначающие качество, свойство или признак предмета.

7. **부사** : 주로 동사나 형용사 앞에 쓰여 그 뜻을 분명하게 하는 말.

наречие
Часть речи, расположенная, в частности, перед глаголом или прилагательным для уточнения его значения.

8. **조사** : 명사, 대명사, 수사, 부사, 어미 등에 붙어 그 말과 다른 말과의 문법적 관계를 표시하거나 그 말의 뜻을 도와주는 품사.

падежное окончание; частица
Часть речи, которая присоединяясь к существительному, местоимению, числительному, наречию, окончанию и т.п., способствует их значению или же указывает на их грамматическую связь с другими членами предложения.

1) **격 조사** : 명사나 명사구 뒤에 붙어 그 말이 서술어에 대하여 가지는 문법적 관계를 나타내는 조사.

падежный показатель
Формальная частица, присоединяющаяся к именам существительным или именным словосочетаниям, обозначающее грамматическую связь со сказуемым.

① **주격 조사** : 문장에서 서술어에 대한 주어의 자격을 표시하는 조사.

окончание именительного падежа
Окончание, указывающее в предложении на падеж подлежащего, связанного со сказуемым.

② **목적격 조사** : 문장에서 서술어에 대한 목적어의 자격을 표시하는 조사.

частица винительного падежа
Частица винительного падежа, указывающая в предложении на объект действия, выраженного глаголом.

③ **서술격 조사** : 문장 안에서 체언이나 체언 구실을 하는 말 뒤에 붙어 이들을 서술어로 만드는 격 조사.

суффикс повествовательного падежа
Падежный суффикс, который прикрепляясь к имени существительному или фразе, выполняющей функцию имени существительного в предложении, превращает их в сказуемое.

④ **보격 조사** : 문장 안에서, 체언이 서술어의 보어임을 표시하는 격 조사.

нет эквивалента

Падежное окончание, которое присоединяясь к существительному, указывает на то, что это существительное в корейском предложении является дополнением к сказуемому.

⑤ **관형격 조사** : 문장 안에서 앞에 오는 체언이 뒤에 오는 체언을 꾸며 주는 구실을 하게 하는 조사.

нет эквивалента

Падежное окончание, присоединяемое к имени существительному и указывающее на то, что данное имя существительное, указывает на качество, свойство или признак предмета, выраженного следующим за ним именем существительным в пределах одного предложения.

⑥ **부사격 조사** : 문장 안에서, 체언이 서술어에 대하여 장소, 도구, 자격, 원인, 시간 등과 같은 부사로서의 자격을 가지게 하는 조사.

частица адвербиального (обстоятельственного) падежа в кор. языке; предлог местного падежа в рус. языке

Частица, присоединяющаяся к именным частям речи в предложении, имеющая свойства наречия и выражающая значение места, орудия, категории, причины, времени и т.п.

⑦ **호격 조사** : 문장에서 체언이 독립적으로 쓰여 부르는 말의 역할을 하게 하는 조사.

окончание звательного (вокативного) падежа

Окончание независимо стоящих в предложении имён существительных, играющих роль обращения.

2) **보조사** : 체언, 부사, 활용 어미 등에 붙어서 특별한 의미를 더해 주는 조사.

вспомогательные частицы; вспомогательные окончания

Окончания имён существительных, наречий, а также глагольные частицы, несущие дополнительную смысловую нагрузку.

3) **접속 조사** : 두 단어를 이어 주는 기능을 하는 조사.

союзное окончание

Окончание, которое выполняет функцию связи двух слов.

<table>
<tr><td rowspan="7">격 조사
(падежный показатель)</td><td>주격 조사</td><td>이/가, 께서, 에서</td></tr>
<tr><td>목적격 조사</td><td>을/를</td></tr>
<tr><td>보격 조사</td><td>이/가</td></tr>
<tr><td>부사격 조사</td><td>에, 에서, 에게, 한테, 께, (으)로, (으)로서, (으)로써,
와/과, 하고, (이)랑, 처럼, 만큼,
같이, 보다</td></tr>
<tr><td>관형격 조사</td><td>의</td></tr>
<tr><td>서술격 조사</td><td>이다</td></tr>
<tr><td>호격 조사</td><td>아, 야, 이시여</td></tr>
<tr><td>보조사
(вспомогательные частицы)</td><td colspan="2">은/는, 만, 도, 까지, 부터, 마저, 조차, 밖에…</td></tr>
<tr><td>접속 조사
(союзное окончание)</td><td colspan="2">와/과, 하고, (이)랑, (이)며</td></tr>
</table>

9. **감탄사** : 느낌이나 부름, 응답 등을 나타내는 말의 품사.

восклицание
Часть речи, которая указывает на чувство, зов, эмоции, ответ и т.п.

5. 문장 성분 : 주어, 서술어, 목적어 등과 같이 한 문장을 구성하는 요소.

члены предложения
Элементы, образующие одно предложение (подлежащее, сказуемое, дополнение и т.п.).

1. **주어** : 문장의 주요 성분의 하나로, 주로 문장의 앞에 나와서 동작이나 상태의 주체가 되는 말.

подлежащее
(лингв.) Один из главных членов предложения, обычно находится в его начале, обозначает предмет, признак действия.

1) 체언 + 주격 조사 : именные части речи + окончание именительного падежа

2) 체언 + 보조사 : именные части речи + вспомогательные частицы

2. **목적어** : 타동사가 쓰인 문장에서 동작의 대상이 되는 말.

прямое дополнение
Слово, выражающее прямой объект действия в предложении с переходным глаголом.

1) 체언 + 목적격 조사 : именные части речи + частица винительного падежа

2) 체언 + 보조사 : именные части речи + вспомогательные частицы

3. **서술어** : 문장에서 주어의 성질, 상태, 움직임 등을 나타내는 말.

сказуемое
Член предложения, который выражает характер, состояние, действия и т.п. подлежащего в предложении.

1) 용언 종결형 : предикатив
↳ **нет эквивалента**
Флективная форма слова, заканчивающаяся финальным окончанием, которая завершает одно предложение.

2) 체언 + 서술격 조사 '이다'

: именные части речи + суффикс повествовательного падежа '이다'

4. **보어** : 주어와 서술어만으로는 뜻이 완전하지 못할 때 보충하여 문장의 뜻을 완전하게 하는 문장 성분.

дополнение
Член предложения, который используется, когда смысл предложения недостаточно ясен при его выражении только подлежащим и сказуемым.

1) 체언 + 보격 조사 : именные части речи + нет эквивалента

2) 체언 + 보조사 : именные части речи + вспомогательные частицы

5. **관형어** : 체언 앞에서 그 내용을 꾸며 주는 문장 성분.

определение
Член предложения, употребляющийся перед именами существительными и обозначающий качество, свойство или признак предмета.

1) 관형사 : атрибутивное слово; атрибут

2) 체언 + 관형격 조사 '의' : именные части речи + нет эквивалента '의'

3) 용언 어간 + 관형사형 어미 '-은/ㄴ, -는, -을/ㄹ, -던'

: предикатив основа + причастные окончания '-은/ㄴ, -는, -을/ㄹ, -던'

6. **부사어** : 문장 안에서, 용언의 뜻을 분명하게 하는 문장 성분.

наречное определение
В предложении, член предложения точно определяющий значение сказуемого.

1) 부사 : наречие

2) 부사 + 보조사 : наречие + вспомогательные частицы

3) 용언 어간 + 부사형 어미 '-게' : предикатив основа + наречное окончание '-게'

7. **독립어** : 문장의 다른 성분과 밀접한 관계없이 독립적으로 쓰는 말.

слова знаменательных частей речи; самостоятельные слова
Слова, обладающие самостоятельным лексическим значением.

1) 감탄사 : восклицание

2) 체언 + 호격 조사 : именные части речи + окончание звательного (вокативного) падежа

6. 어순 : 한 문장 안에서 주어, 목적어, 서술어 등의 문장 성분이 나오는 순서.

порядок слов в предложении

Порядок следования подлежащего, дополнения, сказуемого и т.п. частей предложения в пределах одного предложения.

1) 주어 + 서술어(자동사)

подлежащее + сказуемое(непереходный глагол)

예 (пример) : 바람이 불어요.

2) 주어 + 서술어(형용사)

подлежащее + сказуемое(имя прилагательное)

예 (пример) : 날씨가 좋아요.

3) 주어 + 서술어(체언+서술격 조사 '이다')

подлежащее
+ сказуемое(именные части речи+суффикс повествовательного падеж '이다')

예 (пример) : 이것이 책상이다.

4) 주어 + 목적어 + 서술어(타동사)

подлежащее + прямое дополнение + сказуемое(переходный глагол)

예 (пример) : 친구가 밥을 먹어요.

5) 주어 + 목적어 + 필수 부사어 + 서술어(타동사)

подлежащее + прямое дополнение + обязательный наречное определение
+ сказуемое(переходный глагол)

예 (пример) : 어머니께서 용돈을 나에게 주셨다.

1) 체언(명사/대명사/수사)이/가 + 형용사 어간어미
<주어> <서술어>

2) 체언이/가 + 체언을/를 + 타동사 어간어미
<주어> <목적어> <서술어>

7. 띄어쓰기 : 글을 쓸 때, 각 낱말마다 띄어서 쓰는 일. 또는 그것에 관한 규칙.

раздельное написание
Написание слов отдельно друг от друга через пробел. Также правила раздельного написания.

1) 체언조사 (띄어쓰기) 용언 어간어미

именные части речипадежное окончание (раздельное написание) предикатив основаокончание

예 (пример) : 밥을 (раздельное написание) 먹어요

2) 관형사 (띄어쓰기) 명사

атрибутивное слово (раздельное написание) имя существительное

예 (пример) : 새 (раздельное написание) 옷

3) 용언 어간관형사형 어미 '-은/-ㄴ, -는, -을/-ㄹ, -던' (띄어쓰기) 명사

предикатив основапричастные окончания '-은/-ㄴ, -는, -을/-ㄹ, -던' (раздельное написание) имя существительное

예 (пример) : 기다리는 (раздельное написание) 사람
좋은 (раздельное написание) 사람

4) 형용사 어간부사형 어미(-게) (띄어쓰기) 용언 어간어미

имя прилагательное основанаречное окончание(-게) (раздельное написание) предикатив основаокончание

예 (пример) : 행복하게 (раздельное написание) 살자

5) 명사인 (띄어쓰기) 명사

имя существительное인 (раздельное написание) имя существительное

예 (пример) : 대학생인 (раздельное написание) 친구

8. 문장 부호 : 문장의 뜻을 정확히 전달하고, 문장을 읽고 이해하기 쉽도록 쓰는 부호.

знаки препинания
Графические знаки, употребляемые в предложении для смыслового и интонационного членения.

1) 마침표 (.) : 문장을 끝맺거나 연월일을 표시하거나 특정한 의미가 있는 날을 표시하거나 장, 절, 항 등을 표시하는 문자나 숫자 다음에 쓰는 문장 부호.

точка
Знак препинания, который ставится в конце повествовательного предложения или при написании числами даты, а также для обозначения особого дня календаря или для отделения абзаца, параграфа.

2) 물음표 (?) : 의심이나 의문을 나타내거나 적절한 말을 쓰기 어렵거나 모르는 내용임을 나타낼 때 쓰는 문장 부호.

вопросительный знак
Знак препинания, использующийся для выражения сомнения или вопроса, а также в том случае, когда трудно подобрать подходящие слова либо для обозначения незнакомой информации.

3) 느낌표 (!) : 강한 느낌을 표현할 때 문장 마지막에 쓰는 문장 부호 '!'의 이름.

восклицательный знак
Знак препинания "!", который ставиться в конце предложения и обозначает восклицание и сильные чувства.

4) 쉼표 (,) : 어구를 나열하거나 문장의 연결 관계를 나타내는 문장 부호.

запятая
Знак препинания, употребляемый при перечислении или обозначении соединительных связей в предложении.

5) 줄임표 (……) : 할 말을 줄였을 때나 말이 없음을 나타낼 때에 쓰는 문장 부호.

многоточие
Знак препинания, используемый при сокращении речи или когда нечего сказать.

< 참고(справка) 문헌(Библиография) >

고려대학교 한국어대사전, 고려대학교 민족문화연구원, 2009
우리말샘, 국립국어원, 2016
표준국어대사전, 국립국어원, 1999
한국어교육 문법 자료편, 한글파크, 2016
한국어 교육학 사전, 하우, 2014
한국어기초사전, 국립국어원, 2016
한국어 문법 총론 Ⅰ, 집문당, 2015

한국어 동사 290 형용사 137 русский язык(перевод)

발　행 | 2024년 6월 11일
저　자 | 주식회사 한글2119연구소
펴낸이 | 한건희
펴낸곳 | 주식회사 부크크
출판사등록 | 2014.07.15.(제2014-16호)
주　소 | 서울특별시 금천구 가산디지털1로 119 SK트윈타워 A동 305호
전　화 | 1670-8316
이메일 | info@bookk.co.kr

ISBN | 979-11-410-8895-8

www.bookk.co.kr